아이세움 논술 | 명작 3

좁은 문

감수 및 개발 참여

책임 감수

박우현　전 한우리독서문화운동본부 교육원장, 동국대 철학 박사

논술 집필진

김창준　경희초등학교 수업개선 연구교사, 독서담당

문계연　논술 연구 및 집필가, 연세대 윤리교육 대학원 석사

박민미　동국대 강사, 독서평설 필자, 동국대 철학 박사 수료

오창희　독서지도사, 논술지도사, 고려대 국어교육대학원 석사

 아이세움 논술 | 명작 3

좁은 문

원작 앙드레 지드 | **엮음** 조현진 | **그림** 이영규 | **감수** 박우현

펴낸날 2005년 12월 20일 초판 1쇄, 2013년 10월 25일 초판 9쇄

펴낸이 김영진

본부장 조은희 | **사업실장** 이영호

편집장 박철주 | **편집 · 진행** 박은식, 박희정 임지은, 위혜정 | **디자인** 서남이

펴낸곳 (주)미래엔 | **주소** 서울시 서초구 잠원동 41-10

전화 마케팅 02)3475-3843~4 편집 02)3475-3924 | **팩스** 02)541-8249

등록 1950년 11월 1일 제16-67호 | **홈페이지** www.i-seum.com

ISBN 978-89-378-4086-9 74860

ISBN 978-89-378-4116-3 (세트)

· 책값은 뒤표지에 있습니다.

· 파본은 구입처에서 교환해 드리며, 관련 법령에 따라 환불해 드립니다. 다만, 제품 훼손 시 환불이 불가능합니다.

Mirae N 아이세움은 (주)미래엔의 어린이책 브랜드입니다.

아이세움 논술 │ 명작 3

좁은 문

앙드레 지드 원작

조현진 엮음 ǀ 이영규 그림

아이세움
i-seum

좋은 책 한 권이 열 학원보다 낫습니다

 세월이 가도 우리의 가슴에 남아있는 책이 고전이요, 시간이 흘러도 우리의 머리에 오래 기억되는 작품이 명작입니다. 좋은 책은 읽는 것만으로도 가치가 있습니다. 어렸을 때 감동 깊게 읽은 책들은 세월이 가도 내 몸에 향기로 남습니다.

책의 향기는 그 어떤 향기보다 향기롭습니다.

독서를 한 후에 생기는 느낌은 상당히 중요합니다. 나의 느낌은 나만의 재산입니다. 그 느낌을 말로 표현하거나 글로 써보면 한 번 더 생각하는 사람이 됩니다. 한 번 더 생각하면 생각이 깊어지고 정확해집니다.

〈아이세움 논술 | 명작〉은 '좋은 책을 한 번 더 읽자' 는 의도에서 만든 것입니다. 책은 읽어야 내 것이 됩니다. 느낌으로 다가오고 생각으로 다가옵니다. 그러나 학년이 올라가면 올라갈

수록 느낌만이 아니라 자신의 생각도 중요해집니다. 나의 생각이 곧 내가 누구인지를 알려주는 것이기 때문입니다.

어떤 문제에 대해 자신만의 생각을 적절한 이유와 더불어 쓰는 것이 논술입니다. 〈아이세움 논술 | 명작〉은 책을 다 읽은 후에 그와 관련된 것들을 한 번 더 생각해보는 데 도움을 줍니다. 그리하여 우리가 읽은 명작을 내 것이 되도록 도와줍니다. 논술 워크북과 가이드북이 그 역할을 할 것입니다.

좋은 책 한 권은 열 학원보다 낫습니다.

쓰기가 싫으면 그냥 재미있는 책만 읽어도 됩니다. 명작을 읽는 것만으로도 훌륭한 공부를 하는 것이니까요. 그러다 어느 순간에 쓰고 싶은 생각이 들면 써 보세요. 생각나는 대로 써도 좋습니다. 쓴다는 사실만으로도 한 단계 발전한 것이니까요.

가슴에 쓰는 글은 나를 위해 쓰는 글이며 종이에 쓰는 글은 역사를 위해 쓰는 글입니다. 글이 역사를 만듭니다. 명작과 더불어 향기를 느끼고 자신의 글과 더불어 생각하는 사람이 되기를 진심으로 바랍니다.

전 한우리독서문화운동본부 교육원장

양우현

명작 읽기의 소중함

 열심히 책만 읽기에는 너무 고단한 우리 학생들에게 다시 '논술' 열풍이 불고 있다. 학생들이 스스로 즐겨 그렇게 된 것은 아니지만, 학생들을 위해 결코 나쁜 일이라고만 말할 수는 없을 것이다.

새삼스러운 얘기일 터이지만 좋은 글을 쓸 수 있는 가장 빠른 길은 "많이 읽고(다독多讀)·많이 쓰고(다작多作)·많이 생각(다상량多商量)"하는 삼다(三多)밖에 다른 것이 없다.

먼저 다독이 문제다. 많이 읽는다고 해서 아무 책이나 마구잡이로 읽는 것을 다독이라고 하지는 않는다. 많이 읽되, 좋은 책을 읽을 때 그것이 다독이다. 그렇다면 어떤 책이 좋은 책일까?

우선 고전이라 할 명작에는 사람이 세상을 살면서 알아야 할 온갖 삶의 지혜와 가치가 담겨 있다. 가령 〈지킬 박사와 하이드〉에서는 인간 내면에 혼재해 있는 선과 악의 대립을, 〈동물농장〉

에서는 삶을 한없이 타락시키는 전체주의와 아름다운 삶을 지향하는 인간의 무한한 이상의 끊임없는 갈등과 투쟁에 대한 반추를 해 볼 수 있다. 이런 고전을 재미있게 읽고 생각하는 기회를 갖는 것이 바로 좋은 글을 쓸 수 있는 바탕이다. 문제는 고전이 너무 어렵고 분량이 방대하다는 점이다.

이번에 출간된 〈아이세움 논술 I 명작〉은 원전의 내용을 재구성해 어린 학생들이 쉽게 고전과 친해지도록 만들었다. 지루함을 덜기 위해 캐릭터를 사용해서 그 캐릭터들과 끊임없이 교감하며 끝까지 책을 손에서 놓지 못하게 만든 것도 이 시리즈의 특색이요 장점일 터이다. 책 뒤에 논술을 학습할 수 있도록 논술 워크북과 가이드북을 제공하여 '학습과 논술'이라는 두 문제를 다 해결할 수 있도록 배려한 점도 주목할 만하다. 어린 학생들이 편안하고 소중한 독서 경험을 하리라 본다.

물론 이 명작선은 완역본이 아니므로 이것만 읽어서는 해당 작품을 제대로 읽었다고 말할 수 없을 것이다. 그러나 훗날 학생들이 성장하여 완역본으로 다시 읽고 올바르게 이해하는 데 큰 도움이 되도록 세심한 배려를 했다.

이 점도 이 시리즈가 귀하고 값진 이유이다.

시인

신경림

| 차 례 |

안녕,
난 뒤뚱이~
플라토닉 사랑에 빠진
나의 가슴에 깊이
다가오는 〈좁은 문〉~
얼른 읽어 보자고요.

하이!
번빠리와 함께 하는
사랑은 언제나
'넓은 문'이야.

넌 좋아하는 사람이 있니?
사랑은 아름다운 것이야.

〈좁은 문〉은
아름다운 사랑 이야기라던데,
빨리 읽어 보자!

박테리아   고로케   팬티맨   튜브

PART 1
PART 1 PART 1
PART 1 PART 1 PART 1
PART 1 PART 1 PART 1 PART 1
PART 1 PART 1 PART 1 PART 1 PART 1
PART 1 PART 1 PART 1 PART 1 PART 1 PART 1
PART 1 PART 1 PART 1 PART 1 PART 1
PART 1 PART 1 PART 1 PART 1 PART 1
PART 1 PART 1 PART 1 PART 1
PART 1 PART 1 PART 1

명작 살펴보기

〈좁은 문〉의 매력에
빠져 볼까요?

PART 1

명작 살펴보기

어느 길로 갈까요?

번빠리와 뒤뚱이가 두 갈래 길 앞에 섰습니다.
한쪽 길은 넓고 평평하며 안전해 보이는군요. 그런데
다른 쪽 길은 좁고 어둡고 위험해 보입니다.
이들은 과연 어떤 길을 선택할까요?

결국 번빠리는 넓은 길을, 뒤뚱이는 좁은 길을 택했습니다.
각각 자신의 길을 택한 두 사람, 마지막 순간은 **어떻게 되었을까요?**

좁은 문으로 들어가기를 힘쓰라!

넓은 길에는 역시 사람도 많고 말썽도 많았어요. 좁은 길은 험하고 불편하지만 결국 찾아간 보람이 있었군요. 자, 여러분의 눈앞에 두 갈래 길이 있어요. 평평하고 넓은 길과 구불구불 좁은 길이지요. 여러분은 어느 길을 선택할 건가요?

오늘 우리가 함께 읽어 볼 작품은 앙드레 지드의 〈좁은 문〉이에요. 〈좁은 문〉은 자기의 감정을 버리고 좁은 문으로 들어가기 위해 노력한 한 여자의 인생에 관한 이야기지요. 여기서 말하는 좁은 문이란 좀 더 고귀한 것을 향한 삶을 말해요. 욕심과 욕망을 버리고 선한 일을 하는 삶이지요. 여러분은 이러한 삶을 생각해 본 적이 있나요?

하나님은 우리를 위해 더 좋은 것을 준비해 두셨어.

제롬과 알리사는 서로 깊이 사랑하는 사이지만, 그 뜨거운 감정을 표현하지 않아요. 손도 잡고 싶고, 안아 주고 싶기도 할 텐데도 모든 것을 꾹 참고 서로 바라보기만 하지요. 욕심을 참고 사는 삶을 금욕적인 삶이라고 해요. 제롬과 알리사는 금욕적인 삶이 현실에서 얻을 수 있는 행복보다 더 큰 행복을 안겨 줄 거라고 믿기 때문에 바라보기만 하는 사랑을 택한 것이랍니다.

〈좁은 문〉의 작가 앙드레 지드는 1947년 노벨 문학상을 수상한 세계적인 작가야. 히히

과연 제롬과 알리사는 좁은 문으로 들어갈 수 있을까요? 그리고 그 너머에는 정말 더 큰 행복이 기다리고 있을까요?

사랑이냐 종교냐 그것이 문제로다.

1909년에 발표된 〈좁은 문〉은 사랑과 종교의 문제를 다루고 있는 작품이에요. 그 둘 사이의 고민이 어떻게 표현되는지 살펴볼까요?

신약성서 〈마태 복음〉에는 이런 내용이 적혀 있어요.

"좁은 문으로 들어가라. 멸망에 이르는 문은 크고 또 그 길이 넓어서 그리로 가는 사람이 많지만, 생명에 이르는 문은 좁고 또 그 길이 험해서 그리로 찾아드는 사람이 적다."

신을 따르며 살던 알리사는 사촌 동생 제롬을 사랑했지만, 그 사랑을 억누르고 좁은 문으로 가는 길을 택했어요. 하지만 알리사가 죽은 후에 발견된 일기장은 좁은 문을 택하기까지 종교와 사랑 사이에서 갈등한 알리사의 아픔을 보여 주었지요. 이렇듯 〈좁은 문〉에는 신과 인간 사이에서 갈등하는 주인공들의 모습이 아름다운 언어로 표현되어 있답니다.

◀ 평화로운 프랑스의 전원 풍경입니다.

에휴, 답답하고 바보같아. 하나밖에 없는 인생, 즐겨야 하는 거 아냐?

알리사는 왜 좁은 문을 택했을까요?

알리사는 욕망을 참고 견디는 것은 힘들지만 좁은 문 뒤에는 값진 행복이 기다리고 있다고 믿었어요. 좀 더 의미 있는 삶을 살기 위해 지상에서의 기쁨을 희생하려고 했지요.

하지만 우리는 신의 뜻을 이루기 위해 모든 것을 포기 하는 삶이 진정 행복한 삶인지 생각해 보아야 해요.

여러분은 알리사의 선택을 어떻게 생각하세요? 알리 사는 숭고한 사랑을 완성한 것일까요? 아니면 하나 뿐인 삶을 바보처럼 허무하게 보낸 것일까요?

그렇다고 무의미한 삶을 살 수는 없잖아.

◀ 제롬이 사랑한 알리사는 좁은 문이 하나님에게 이르는 길이라고 믿었습니다.

 잠시 휴식! 우유 한 잔 마시고 〈좁은 문〉을 읽어 보세요!

PART 2

PART 2 PART 2

PART 2 PART 2 PART 2

PART 2 PART 2 PART 2 PART 2

PART 2 PART 2 PART 2 PART 2 PART 2

PART 2 PART 2 PART 2 PART 2 PART 2 PART 2

PART 2 PART 2 PART 2 PART 2 PART 2

PART 2 PART 2 PART 2 PART 2

PART 2 PART 2 PART 2

PART 2 PART 2

명작 읽기

그럼, 이제 슬슬 배 좀 집어 넣고
좁은 문으로 쑥 들어가 볼까?

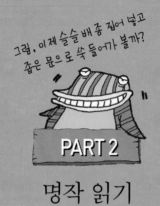

PART 2

명작 읽기

1장
좁은 문으로

아버지는 내가 열두 살이 되기 전에 돌아가셨다. 아버지를 여의고 어머니는 아버지가 의사로 일했던 르아브르를 떠나고 싶어했다.

어머니는 내가 공부하기에는 파리가 좋다고 생각하셨다. 그래서 우리는 뤽상부르 공원 근처에 작은 아파트를 빌려, 미스 애슈브르통과 함께 살기로 했다. 어머니와 미스 애슈브르통은 항상 상복을 입은 채, 슬픈 얼굴로 앉아 있고는 했다.

아버지가 돌아가시고 꽤 시간이 흐른 어

미스 애슈브르통은 제롬의 가정교사야. 옛날 유럽에서는 가정교사가 식구처럼 그 집에서 살곤 했지.

느 날, 어머니는 모자의 검정 리본을 떼어 내고 연보라색 리본으로 바꿔 달았다. 그걸 보고 나는 신경질적으로 말했다.

"엄마, 그런 색깔은 엄마한테 어울리지 않아!"

다음 날 어머니는 모자에 다시 검정 리본을 달았다.

나는 허약한 아이였다. 어머니와 미스 애슈브르통은 나

사실 난 제 롱이 제일 무서워. 하나님이 날 감시하라고 내려 보낸 아이가 아닐까 하는 생각이 들곤 해.

를 힘들게 하지 않기 위해 무척 세심細心하게 주의를 기울

였다. 그럼에도 내가 게으름뱅이가 되지 않았던 것은 정

말이지 공부를 좋아했기 때문이다.

어머니는 내 건강을 위해 여름 방학이

되면, 뷔콜랭 외삼촌의 별장이 있는

르아브르 부근의 퐁그즈마르로 갔다.

별장은 주변의 다른 집들과 똑같이 평범한

하얀 2층집이었다. 정원으로 통하는 산책길에는

예쁜 꽃들이 피어 있었다. 또다른 산책길은 나무

숲 길이었다. 우리는 그 길을 '어두운 길'이라고

불렀다. 그리고 밤이 되면 절대로 그 길로 가지 않았

다. 이 두 산책길은 모두 채소밭으로 이어지고 채소밭은

정원으로 이어져 있었다.

채소밭 구석에는 비밀의 문이 있었다. 비밀의 문으로

나가면 의자에 앉아 아름다운 마을 풍경을 내려다볼 수

> 르아브르는 프랑스의
> 유명한 항구 도시야.

세심(細心) : 꼼꼼하게 주의를 기울여 빈틈이 없음.

있었다. 우리는 날씨가 좋은 여름날이면 저녁을 먹은 후
비밀의 문으로 나갔다. 그리고 의자에 앉아서 해질 무렵
의 마을 모습을 오래도록 지켜보았다.

대부분의 시간은 사촌 알리사, 쥘리에트, 로베르와 함
께 보냈다. 알리사는 나보다 두 살이 위였고, 쥘리에트는
나보다 한 살이 어렸다. 막내 로베르는 두 살이 어렸다.

아버지가 일찍 돌아가셨기 때문인지 나는 다른 아이들
보다 빨리 성숙成熟 했다. 아버지가 돌아가신 그 해, 쥘리
에트와 로베르는 여전히 어린아이였지만 알리사는
그렇지 않았다. 알리사도 나처럼 어른이 되었다.

나는 알리사를 좋아했다. 부드러운 미소를 짓
는 모습이 무척 아름다웠다. 그녀는 특히 외숙모
를 많이 닮았다. 외숙모는 아름다운 분이셨다. 하지만
그런 외숙모를 어머니는 별로 좋아하지 않았다.
외숙모의 화려한 색깔 옷과 큰 목걸이가 눈에

> 으음,
> 요즘 연상연하 커플이
> 유행이라더니, 제롬은
> 벌써부터 누나에게
> 빠져 버린 거야?

성숙(成熟) : 몸이나 마음이 완전히 자람.

거슬린다고 하셨다.

외숙모는 항상 자기 방에 혼자 있었다. 우리는 밥 먹을 때만 겨우 외숙모의 얼굴을 볼 수 있었다. 때때로 책을 읽거나 피아노를 치는 모습을 본 적이 있다.

그 즈음, 나는 외숙모와 같이 있는 것이 조금 불편했다.

어느 날, 책을 가지러 거실에 갔다가 외숙모와 마주친 적이 있다. 나는 외숙모를 피해 바로 나오려고 했다.

"제롬? 내가 무섭니?"

나는 억지로 웃으며 외숙모에게 다가갔다. 외숙모는 한 손으로 내 손을 잡고, 다른 손으로는 내 뺨을 쓰다듬었다.

"제롬, 옷을 잘못 입었구나."

외숙모는 나를 가까이 끌어당기더니, 옷매무새를 고쳐 주셨다.

"어때? 맘에 드니?"

거울 앞에서, 외숙모는 갑자기 깔깔 웃으며 나를 간지럽혔다. 나는 깜짝 놀라, 그 자리를 뛰쳐나왔다.

제롬은 싫어하지만 외숙모는 제롬이 맘에 드나 봐.

"어머나, 저런!"

외숙모의 웃음소리를 뒤로 하고, 정원 끝까지 달렸다.

때때로 외숙모는 발작發作을 일으키곤 했다. 발작은 갑자기 일어나, 온 집안을 뒤집어 놓았다. 그럴 때면 미스 애슈브르통이 부랴부랴 우리를 데리고 나갔지만 외숙모의 비명은 집 밖까지 흘러나왔다. 외삼촌은 수건이나 약을 찾느라 정신 없이 돌아다니셨다. 그리고 저녁 시간이 되어 식탁에 앉을 때면, 외숙모의 빈 자리를 보며 걱정스러운 표정을 지으셨다.

발작이 끝나면 외숙모는 로베르와 쥘리에트를 불렀다. 알리사는 부르지 않았다. 알리사는 그런 날엔 자기 방에서 외삼촌과 긴긴 이야기를 나누곤 했다.

외숙모의 발작이 무척 심했던 어느 날, 어머니와 나는 비명 소리가 잘 들리지 않는 곳에 숨어 있었다. 그 때 하녀가 외치는 소리가 들렸다.

발작(發作) : 어떤 증상이 갑자기 일어나는 일.

"주인님, 마님이 지금 돌아가실 것 같아요!"

어머니는 외삼촌을 부르러 가셨다. 그리고 두 분은 내가 있던 방을 지나가며 큰 목소리로 이야기를 하셨다.

"내가 말해 줄까? 이건 모두 다 연극이야."

어머니는 '연극' 이라는 단어를 몇 번이나 강조하셨다.

연극? 그럼 외숙모가 일부러 발작을 일으키는 척한단 얘기야?

나는 사촌 알리사를 놀라게 해 주고 싶은 마음에 외삼촌 집을 나왔다가 다시 돌아간 적이 있었다. 날 본 하녀는 당황한 얼굴로 길을 막아섰다.

"제롬 도련님! 올라가지 마세요. 올라가지 마세요. 마님이 발작이 나셨어요."

"난 외숙모 만나러 온 게 아니야."

알리사의 방으로 가던 길에 나는, 우연히 열린 방문으로 촛불이 환하게 켜진 외숙모의 방을 들여다봤다.

외숙모는 긴 의자에 누워 있었다. 그 발 밑에 쥘리에트와 로베르가, 외숙모 뒤로는 군복을 입은 낯선 남자가 서 있었다. 그 남자는 사촌들을 보고 환하게 웃었다.

외숙모 또한 웃고 있었다. 나는 이유 없이 머리가 멍

해지는 기분이었다. 알리사의 방문 앞에서 잠시 머뭇

거렸다. 외숙모의 방에서 들려오는 웃음소리에 잔뜩

신경을 쏟고 있었다. '똑똑!' 문을 두드렸으나, 알리사는

대답(對答)이 없었다. 가만히 문을 열었다. 알리사는 그 방

에서 혼자 울고 있었다.

지금도 그 때 생각을 하면 마음이 아프다. 물론 알리사

가 우는 이유는 잘 알지 못했다. 다만 그것이 견디기

힘든 일이라는 것을 느낄 수 있었다. 나는 알리

사를 꼭 안았다. 내가 할 수 있는 일은 그것

뿐이었다. 알리사가 떨리는 음성으로 말했다.

"제롬, 오늘 본 것은 아무한테도 말하지 마. 불쌍한

아버지는 아무것도 모르고 계시니까."

물론 그 날 본 것은, 어머니에게조차 말하지 않

대답(對答) : 부르는 말에 응하여 어떤 말을 함.

았다. 더구나 나는, 그 날 이후 외숙모를 다시는 볼 수 없었다.

얼마 후 우리가 파리에 돌아왔을 때, 급한 편지가 왔다. 편지를 받은 어머니는 다시 외삼촌 댁으로 가셨다. 외숙모가 달아나 버렸다는 것이다.

"누구랑요?"

나는 미스 애슈브르통에게 물어 보았다.

"그건 어머님께 여쭤 보렴. 난 대답할 수가 없구나."

이틀 후, 애슈브르통과 나도 어머니를 따라, 퐁그즈마르로 가서 외삼촌과 사촌들을 교회에서 만났다. 교회에는 신도들이 많지 않았다. 목사님의 말씀이 시작되었다.

"좁은 문으로 들어가기를 힘쓰라."

나는 내 앞에 앉은 알리사를 뚫어지게 바라보았다.

'좁은 문' 이야기는 마태복음 7장 13절에 나오는 성경 구절이야. 천국으로 향하는 길은 어렵고 험난하다는 말씀이지.

외삼촌은 어머니 옆에 앉아 울고 계셨다.

목사님의 말씀은 계속되었다.

"좁은 문으로 들어가기를 힘쓰라. 멸망滅亡으로 가는 문은 크고 그 길이 넓어 그리로 들어가는 사람이 많다. 그러나 생명으로 인도하는 문은 좁아, 들어가기가 힘들어서 찾는 사람이 적도다."

나는 외숙모의 방이 떠올랐다. 긴 의자에 누워 웃던 외숙모와 함께 있던 남자. 웃음이니 즐거움이니 하는 것들이 모두 나쁜 일로 여겨졌다.

나는 넓은 문으로 들어가는 사람에 속하고 싶지 않다. 그건 알리사와 멀어지는 일이다. 나는 좁은 문으로 들어가고 싶다. 내가 열었던 알리사의 방문이 떠올랐다. 그 길은 힘들고 괴롭겠지만 분명 천국으로 가는 문일 것이다.

좁은 문 너머의 천국에서 아름다운 음악 소리가 들렸다. 나와 알리사 두 사람은 천사들이 입는 하얀 옷을 입고

멸망(滅亡) : 망하여 없어짐.

천국으로 들어갈 것이다.

"생명으로 가는 길은 좁아 찾는 이가 적음이라."

목사님은 어떻게 좁은 문을 찾을 수 있는지를 말씀해 주셨다. 좁은 문은 '찾는 이가 적음이라'. 그들 중에 하나가 되리라. 알리사에게 꼭 어울리는 사람이 되리라.

좁은 문으로 가는 길은
무척 힘들 거야.
제롬, 일단
날씬해야겠는걸.^^

2장
어머니의 죽음과 알리사의 약혼 거절

좁은 문에 대한 교훈은 어려서부터 보아 왔던 부모님의 엄격한 모습과 함께 나를 이끌었다. 엄격한 규율들을 지킴으로써 나는 우쭐해졌다. 엄격함은 괴로움이 아니라, 기쁨이었다. 더구나 알리사에 대한 사랑으로 나는 금욕^{禁慾}적인 덕의 길로 가게 되었다.

열네 살이었던 나는 스스로 참고 이겨 내는 것에 관심을 두었다. 공부를 좋아했고 시시한 장난은 치지 않았다. 난 장난조차도 좀 더 머리를 써야 하는 장난이 아니면 재

금욕(禁慾) : 욕구나 욕망을 억제함.

미를 느끼지 못했다. 같은 나이의 친구들
과도 잘 어울리지 않았다. 하지만 아벨은
달랐다. 아벨은 내가 파리에서 만난 친구다. 그 애
는 명랑하고 상냥했다. 난 아벨을 무척 좋아했다.
나는 종종 아벨에게만 외삼촌 별장에서의 일들과
알리사에 대한 이야기를 했다.

제롬은 벌써부터
어른스러운 스타일의
여자를 좋아했구먼.

그 때 나는 알리사에 대한 사랑에 푹 빠져 다른 일들
은 안중에 없었다. 나는 알리사에게 어울리는 사람, 좁은
문에 들어갈 수 있는 사람이 되려고 노력했다. 그리고 알
리사를 위해 공부했고, 경건하게 행동했다. 알리사는 타
고난 경건함과 덕을 갖추고 있었다. 그녀를 보면 외삼촌
이 때때로 어린 알리사와 이야기를 나눴던 것이 이해가
되었다.

이듬해 여름, 나는 외삼촌이 알리사와 이야기하는 것을
자주 볼 수 있었다. 외숙모가 떠난 후 외삼촌은 더 늙으셨
다. 가끔 애써 즐거운 표정을 짓곤 했는데 그것이 우리를
더 슬프게 했다. 외삼촌은 서재에서 담배를 태우곤 하셨

는데, 좀처럼 밖에 나가는 법이 없었다. 하지만 알리사와는 산책을 즐기곤 하셨다.

어느 해질 무렵, 나는 나무 밑에 누워 책을 읽고 있었다. 그 때 외삼촌과 알리사의 목소리가 들려왔다.

"제롬은 공부를 정말 좋아해."

얼떨결에 엿듣게 된 나는 내가 여기 있다는 것을 알려야 한다고 생각했다. 하지만 어떻게? 기침을 할까? 소리를 칠까? '저 여기 있어요. 둘이 하는 말소리가 들려요.' 라고 말할까. 나는 결국 아무것도 하지 못하고 잠자코 있었다. 나에 대한 이야기를 더 듣고 싶은 호기심보다 난처難處함과 부끄러움 때문이었다.

"아버지, 고모부는 훌륭한 분이셨죠?"

외삼촌의 대답은 작고 희미해서 들리지 않았다. 알리사가 다시 물었다.

"아주 훌륭한 분이셨죠?"

난처(難處) : 이럴 수도 없고 저럴 수도 없이 딱함.

욕이 아니라
칭찬을 떴들었으니
기분이 좋지 않아?

외삼촌이 뭐라고 대답을 하자, 알리사가 다시 물었다.

"제롬도 참 똑똑하지요. 그렇죠?"

나는 귀를 곤두세웠다. 하지만 한 마디도 들을 수가 없었다. 다시 알리사가 말했다.

"제롬은 훌륭한 사람이 되겠지요?"

그제야 외삼촌의 목소리가 커졌다.

"어떤 뜻으로 훌륭한 사람이라는 말을 쓴 거니? 사람들이 훌륭하다고 생각하지 않는 사람이 때로는 훌륭한 사람일 때도 있단다. 하나님의 눈으로 보면 말이지."

"저도 그런 뜻으로 말한 거예요."

"하지만 그걸 어떻게 알 수가 있겠어? 제롬은 아직 어리고. 그래, 물론 그 애는 가능성可能性이 많아. 하지만 그것만으로는 훌륭하게 될 거라고 말할 수 없을 것 같구나."

"그럼 또 무엇이 더 있어야 해요?"

가능성(可能性) : 앞으로 실현될 수 있는 성질.

"글쎄. 믿음이라든가, 도움이라든가, 사랑이라든가?"

"도움이요?"

알리사가 물었다.

"애정이나 존경 같은 것 말이다."

외삼촌은 쓸쓸하게 대답했다. 그러고는 두 사람의 말이 전혀 들리지 않았다.

나는 저녁에 기도를 드리며, 그 날의 나쁜 행동을 뉘우쳤다. 그리고 알리사에게 고백하기로 했다. 한편 못 들은 이야기를 마저 듣고 싶은 생각도 있었다.

다음 날 내가 사실을 고백하자, 알리사는 말했다.

"남의 말을 엿듣는 것은 나쁜 짓이야. 기척을 내던가 자리를 떠났어야지."

"엿들으려던 게 아니야. 그냥 말소리가 들렸어. 그리고 너랑 외삼촌도 그냥 지나쳐 가는 중이었고."

"우리는 천천히 걷고 있었잖아."

"그래, 하지만 말소리가 작아서 나한테는 잘 들리지도 않았는걸. 저, 그런데 외삼촌이 훌륭한 사람이 되려면 뭐가 더 필요하다고 하셨어?"

알리사는 웃으며 말했다.

"다 들었구나? 모르는 척, 나에게 이야기를 하게 만들어서 놀리려는 거지?"

"아니야. 정말 처음밖에 듣지 못했어. 믿음이니 사랑이니 말씀하셨을 때 말이야."

"그 밖에도 또 더 많은 것들이 필요하다고 말씀하셨어."

"그래서 넌 뭐라고 답했어?"

알리사는 갑자기 정색을 하고 말했다.

"인생에 있어서의 도움이 필요하다고 말씀하셔서 네게는 어머니가 계시다고 대답했어."

"아, 알리사. 어머니가 언제까지나 내 옆에 계실 수는 없잖아? 그리고 그건 좀 다른 문제잖아?"

알리사는 고개를 숙였다.

"아버지도 그렇게 말씀하셨어."

나는 떨면서 알리사의 손을 잡았다.

"내가 나중에 어떤 사람이 되든 그건 다 널 위해서야."

"그렇지만 제롬, 나도 언제 네 곁을 떠날 지 모르잖아?"

나는 진심으로 말했다.

"난 절대 너를 떠나지 않을 거야."

알리사의 어깨가 약간 움찔했다.

알리사, 제롬은 너한테 푹 빠져 있어. 여기서 하나님 얘기를 하면 제롬이 얼마나 김이 새겠니?

"넌 혼자서 그 길을 걸어갈 만큼 강하지 못한 거니? 하나님께는 혼자 가야 해."

"하지만 내게 그 길을 가르쳐 줄 사람은 너야."

"왜 하나님 외에 다른 사람을 찾니? 우리가 서로에게 가장 가까이 다가갈 수 있을 때는 서로를 잊고 하나님께 기도드리고 있을 때뿐이라고 생각하지 않니?"

"알리사, 난 날마다 우리를 결합結合하게 해 달라고 기도드려."

"그게 무슨 소리니? 넌 하나님 안에서 결합한다는 게 무슨 뜻인지 모르겠니?"

결합(結合) : 둘 이상의 것이 서로 관계를 맺고 합쳐서 하나로 됨.

어쭈, 조 그만 녀석이
사랑을 아는걸!

"잘 알아. 그것은 같은 것을 찬양하는 속에서 서로를 열심히 찾는 거야. 네가 찬양하는 것을 나 역시 찬양해. 너를 만나기 위해서."

"순수하지가 못해."

"너무 궁지窮地에 몰아넣지 마. 천국이라도, 거기서 널 다시 보지 못한다면 난 가지 않을 거야."

우리는 라틴 어로 쓰인 성경을 구해서 긴 구절들을 암송하곤 했다. 알리사는 동생을 도와 준다는 핑계로 나와 함께 라틴 어를 공부했다. 지금 생각해 보면 알리사는 나를 따라오기 위해 그랬던 것 같다. 나 역시 알리사와 함께가 아니면 공부가 재미 없었다. 하지만 그런 생각이 공부에 방해가 되진 않았다. 오히려 알리사는 언제나 나를 앞섰고 나는 알리사를 따라잡기 위해 노력했다.

어머니는 나의 감정에 대해 걱정하셨다. 하지만 오래

궁지(窮地) : 살아갈 길이 막연하거나, 매우 어려운 일을 당한 처지.

전부터 앓고 계셨던 심장병이 갈수록 심해지자, 오히려 알리사와 이어 주려 하셨다.

어느 날, 어머니가 나를 부르셨다.

"제롬, 난 이제 많이 늙었구나. 어느 날인가 널 두고 갑자기 떠나 버릴지도 모르겠어."

갑자기 숨이 가빠진 어머니는 말을 멈추셨다. 그 순간 나는 도저히 참을 수가 없어서 소리쳤다. 어머니가 듣고 싶으셔서 내가 말하기만을 기다려 오셨다고 생각되는 그 말을.

"어머니……, 저는 알리사와 결혼하고 싶어요."

"내가 하려던 말도 바로 그거란다."

"어머니, 알리사도 저를 사랑할까요?"

나는 울먹이며 말했다.

"그럼, 그렇고말고."

어머니는 말하는 것도 무척 힘들어하셨다.

"제롬, 모든 것은 하나님 뜻에 맡겨 두어야 한다."

어린애들의 사랑이라고 하지만, 정말 진지한데? 가볍게 생각하는 게 아니야.

어머니는 내 머리 위에 손을 얹고 말씀하셨다.

"하나님이 너희를 보호해 주시기를."

그리고 어머니는 기분이 좀 나아지셨다.

어느 날 저녁, 어머니는 나와 미스 애슈브르통이 지켜
보는 가운데 조용히 세상을 떠나셨다. 갑작스럽게 돌아가
셨기 때문에 친척들 중 누구도 그 순간을 함께 하지 못했
다. 나는 미스 애슈브르통과 함께 돌아가신 어머니 곁에
서 하룻밤을 보냈다. 나는 어머니를 정말로 사랑했
지만 어머니를 위해 울진 않았다. 오히려 친
구를 잃은 미스 애슈브르통이 가여워서 눈
물을 흘렸다.

이튿날, 외삼촌이 도착하셨다. 삼촌은 나
에게 알리사의 편지를 전해 주었다. 알리사는 그
다음 날 블랑티에 이모와 함께 왔다.

제롬, 나의 친구, 나의 동생.
고모님이 돌아가시기 전에 기다리시던 대답을 드

리지 못한 것이 얼마나 가슴 아픈지 몰라. 그저 고모님
이 용서해 주시길 바랄 뿐이야.

하나님께서 우리 두 사람을 인도해 주시기를.

안녕, 가엾은 나의 친구.

    – 그 어느 때보다 더, 너에게 다가가 있는 알리사로부터.

어머니가 기다리셨던 말이란, 우리 두 사람의 미래에
대한 것이 아니었을까? 하지만 청혼을 하기엔 내가 너무
어렸고 때가 좋지 않았다. 하지만 우리는 이미 약혼約婚한
것이나 다름없는 사이가 아닌가? 친척들 모두 우리의 사
랑을 알고 있었다. 외삼촌 또한 우리 사이를 찬성하셨고
이미 나를 아들로 여기고 계셨다.

부활절 휴가가 시작되었다. 나는 블랑티에 이모 댁에
머무르며 식사는 외삼촌 댁에서 했다. 블랑티에 이모는
훌륭한 분이다. 하지만 나와 그다지 친하지는 않았다. 이

약혼(約婚) : 결혼하기로 서로 약속함.

모의 우아하지 못한 행동이나 목소리가
마음에 들지 않았기 때문이다. 갑자기 귀
여워서 참을 수 없다는 듯이 나와 사촌들을 쓰다듬
고는 했는데 그것은 정말 귀찮은 일이었다.

어느 날 저녁, 이모가 말했다.

"제롬, 이번 여름 방학을 어떻게 지낼 생각
이니?"

"글쎄요? 여행이나 갈까 해요."

"그래? 그럼, 우리 집에 안 올래? 물론 외삼촌 집으로
가면 쥘리에트나, 모두가 기뻐하겠지만."

"쥘리에트요? 알리사 말씀이시죠?"

"어, 알리사? 어머, 미안하구나. 나는 네가 쥘리에트를
좋아하는 줄 알았어! 외삼촌이 말해 줄 때까지 말이다.
사실 난 너희들을 잘 알지는 못했잖아? 만날 시간도 별
로 없었고! 게다가 내가 뭘 꼼꼼히 관찰하는 성격도 아니
고. 그래도 네가 항상 쥘리에트와 함께 다녀서……. 그래
서 쥘리에트를 좋아한다고 생각했지. 쥘리에트도 예쁘고

블랑티에 이모는 조금 덜렁대고 말이 많은 사람 같아. 그래도 마음은 좋은 분일 거야.

명랑[明朗]하잖니?"

"맞아요. 하지만 제가 좋아하는 건 알리사예요."

"그래 그래, 좋아! 네가 좋다면 그렇게 해야지. 너도 알겠지만, 나야 뭐, 알리사를 잘 알지 못하니까. 그 애는 쥘리에트보다 말수도 적고, 아무튼 네가 알리사를 택했을 때는 그만큼 좋은 점이 있었겠지."

"이모, 좋아하는 이유를 생각해 본 적은 없지만, 나는 알리사를……."

"제롬, 내가 무슨 딴뜻이 있어 그런 말을 한 게 아니라, 네 말을 듣다가 내가 하려던 말을 잊었구나. 아참, 그러니까 결국 결혼하겠지? 하지만 넌 얼마 전에 어머니가 돌아가셔서, 당장은 결혼을 할 수 없을 테고, 또 아직 어리기도 하고. 내 생각에는, 이젠 어머니도 안 계신데 네가 혼자 외삼촌의 별장에서 지내는 건 이상하게 보일지도 모른

명랑(明朗) : 밝고 쾌활함.

다는……."

"네, 이모. 제가 여행을 생각한 것도 그래서예요……."

"하지만 이건 내 생각인데 말이야. 내가 너랑 같이 간다면 모든 게 해결_{解決}될 거야. 그래서 이번 여름에는 나도 너랑 함께 갈 준비를 해 두었단다."

"미스 애슈브르통에게 함께 가자고 하면 돼요."

"그래, 알아. 하지만 나도 같이 갈게! 내가 뭐, 네 엄마를 대신하겠다는 그런 생각을 하는 건 아니란다."

이모는 갑자기 울먹이더니 말했다.

"난 다만 집이라도 돌봐 주려는 거야. 그러면 너나 외삼촌이나 알리사나 다들 좋지 않겠어?"

결국 그 해 여름, 나는 이모와 미스 애슈브르통과 함께 외삼촌 댁으로 가게 되었다. 알리사를 도와 집안일을 하겠다는 핑계로 이모는 온 집 안을 시끄럽게 만들었다. 이모는 우리의 기분을 좋게 해 주려고, 또 '모든 일을 해결

해결(解決) : 사건이나 문제 따위를 잘 처리함.

해 주겠다.' 는 생각에서 수선을 피워 댔다. 나와 알리사는 이모 앞에서는 불편해서 서로 말도 제대로 하지 못했다. 반대로 쥘리에트는 이모와 잘 맞았다. 이모 역시 쥘리에트를 좋아했다.

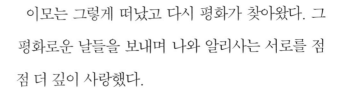

시끄럽다는 뜻의 '야단법석'이 불교에서 나온 말이라는 것 알고있니? '야외에서 부처님의 말씀을 듣는 자리'라는 뜻인데 수많은 사람들이 모였으니 얼마나 시끄러웠겠어.

그러던 어느 아침, 이모에게 딸이 아프다는 편지가 도착했다.

"제롬, 미안하구나. 우리 딸이 아파서 나를 찾는다고 하네. 널 여기 혼자 두고 갈 수밖에 없다니."

이모는 그렇게 떠났고 다시 평화가 찾아왔다. 그 평화로운 날들을 보내며 나와 알리사는 서로를 점점 더 깊이 사랑했다.

이모가 떠난 지 며칠 후, 저녁 식탁에서 우리는 이모의 수선스러움에 대해서 이야기했다.

"그 야단법석이란."

그 때 외삼촌이 쓸쓸한 미소를 지으며 말씀하셨다.

"애들아. 너희가 싫어하는 내 누님의 그런 모습은 다

이유가 있어서 생긴 것이란다. 그 이유를 잘 아는 나로서는 너희처럼 누님을 욕할 수가 없구나. 지금 너희가 야단법석이라고 말하는 누님의 모습도, 어렸을 땐 그냥 귀엽게 뛰어다닌다든지, 솔직하다든지, 애교가 있다든지, 그런 것들이었어. 어릴 때 나는 제롬 너와 비슷했지. 블랑티에 누님은 쥘리에트와 비슷했지, 생김새도 그렇고."

외삼촌은 쥘리에트를 바라보며 말을 이으셨다.

"네 목소리를 들으면 블랑티에 누님의 목소리를 듣는 것 같단다. 미소지을 때도 그렇고. 네 버릇들도 비슷해."

미스 애슈브르통은 내 쪽으로 몸을 돌리고, 낮은 목소리로 말했다.

"알리사는 네 어머니를 닮았어."

그 해 여름은 아름다웠다. 우리는 사랑으로 어머니의 죽음을 이겨 냈다. 해가 뜰 때면 난 해를 맞이하러 뛰어갔다. 알리사보다 일찍 일어나는 편이었던 쥘리에트는 나와 함께 정원에 가곤 했다. 나는 쥘리에트에게 끊임없이 알리사와의 사랑 이야기를 들려주었다. 알리사 앞에서는 망설이느라 하지 못한 말들을 쥘리에트에겐 곧잘 털어 놓을 수 있었다.

"나 슬픈 꿈을 꾸었어."

방학이 끝날 무렵의 어느 날 알리사가 내게 말했다.

"네가 죽어 버렸어. 아니, 네가 죽는 걸 본 건 아니야. 그저 네가 죽어 버렸다는 걸 알았어. 무서웠어. 얼마나 무서웠는지 몰라. 우리가 떨어져 있었는데도, 난 너를 만날 수 있을 거라고 믿었어. 그래서 어떻게 하면 너를 만나러 갈 수 있을까, 그 길을 알아 내려고 애쓰다가 그만 잠에서 깨 버렸단다. 아침이 되었는데도 그 꿈이 눈에 선했어. 꼭 꿈을 계속 꾸고 있는 것 같이. 아직도 너와 헤어져 있고, 앞으로도 오래, 오래……."

알리사는 잠시 숨을 멈추었다.

왜 그런
꿈을 꾼 거야?
너무 슬프잖아.

"평생 너와 떨어져 있게 될 것 같았어."

"왜?"

"우리는 서로 만나기 위해서 무척 애를 써야 했어."

나는 알리사의 말을 심각하게 받아들이지 않았고, 그러기를 두려워했다. 알리사의 말에 반박反駁이라도 하려는 것처럼 가슴이 뛰었고, 갑자기 용기를 얻은 나는 말했다.

"그래. 나도 오늘, 꿈을 꾸었어. 얼마나 너와 결혼하려고 애썼는지 죽음밖엔 우리를 떼어 놓지 못할 것 같았어."

"죽음이 우리를 떼어 놓을 수 있을까?"

"내 말은……."

"오히려, 죽음이 우리를 더 가깝게 만들 수 있다고 생각해. 그래, 삶에서는 멀리 떨어져 있던 것을 가깝게 만들 수 있어."

반박(反駁) : 남의 의견이나 비난에 대하여 맞서 공격하여 말함.

그 모든 말이 가슴 속에 깊이 파고들었기 때문에 아직도 그 때의 억양까지 모두 생생하다. 하지만 그 말들이 지닌 중요한 뜻을 알게 된 것은 세월이 훨씬 흐른 뒤였다.

여름은 끝나 가고 있었다. 외삼촌 댁을 떠나기 이틀 전, 쥘리에트와 나는 정원을 걷고 있었다.

"어제 알리사에게 읊어 주던 게 뭐였어?"

쥘리에트가 물었다.

"언제?"

"폐광 근처에 있는 벤치에서 말이야. 둘만 남겨 놓고 우리가 먼저 왔을 때."

"아, 보들레르의 시."

"어떤 시? 내게도 들려줄 수 있어?"

"이제 곧 우리는 차가운 어둠 속으로 가라앉으리니."

보들레르는 프랑스 출신의 세계적인 시인이야. 많은 사람들이 천재시인 보들레르의 작품을 사랑하고 있지.

내가 시를 외자, 쥘리에트가 말을 가로채면서, 평소와는 다른 목소리로 그 다음을 받아 읊었다.

"안녕, 너무나 짧은 우리 여름의 빛이여!"

"아니, 너 이 시를 알고 있었어?"

나는 무척 놀라서 소리쳤다.

"시를 좋아하지 않는 줄 알았는데."

"왜? 제롬이 나한테는 시를 읊어 주지 않을 뿐이야."

쥘리에트는 웃으면서 말했다.

"제롬은 가끔 날 아주 바보로 알아."

가만히 쥘리에트의 이야기를 들어 봐. 마치 질투하고 있는 것 같은데.

"머리가 좋은 사람도 시를 좋아하지 않을 수 있어. 네가 한 번도 시 이야기를 하는 걸 듣지 못했고, 나한테 시를 읊어 달라고 한 적도 없잖아?"

"그야, 알리사가 다 하니까."

쥘리에트가 갑자기 물었다.

"모레 떠나?"

"응."

"올 겨울엔 뭘 할 거야?"

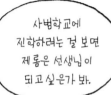

사범학교에 진학하려는 걸 보면 제롬은 선생님이 되고 싶은가 봐.

"사범학교師範學校에 갈 거야."

"알리사하고 결혼은 언제 해?"

"군대를 마치고, 내가 뭘 하고 싶은지 알게 되면."

"그럼, 아직도 뭘 하고 싶은지 모른단 말이야?"

"아직은 알고 싶지 않아. 하고 싶은 일들이 많으니까. 뭔가 한 가지만을 선택해야 하는 시간을 가능한 한 미루고 싶어."

"그래서 약혼도 미루는 거야?"

나는 아무 말도 하지 않고 어깨를 으쓱해 보였다. 쥘리에트가 다시 물었다.

"그럼 왜 당장 약혼하지 않아?"

"그럴 필요가 있을까? 알리사와 내 마음이 영원히 변하지 않을 거라는 믿음만 있으면 충분한걸! 내 삶을 모두 알리사를 위해 바치기로 결심했는데 약혼이 왜 필요해?"

사범학교(師範學校) : 교사를 양성하던 교육 기관.

"내가 못 믿는 건 알리사가 아니야."

우리는 천천히 걸어갔다. 그러다가 예전에 내가 알리사와 외삼촌이 하는 이야기를 엿들었던 곳에 오게 되었다. 그 때 문득, 알리사도 이곳에서 예전의 나처럼 우리의 이야기를 엿들을 수도 있다는 생각이 들었다. 나는 알리사가 정말 거기 있다는 상상을 하면서 아직까지 그녀에게 하지 못했던 말들을 고백하기로 했다.

제롬이 조금만 더 눈치가 있었어도 쥘리에트가 이 얘기를 듣는 걸 힘들어하고 있다는 것을 알 수 있었을 텐데.

"아, 그렇게 할 수만 있다면! 사랑하는 이의 영혼을 거울 속을 들여다보듯이 볼 수 있다면! 거기에 우리가 어떤 그림을 만들어 주는지를 알 수 있다면! 자기 자신의 마음을, 아니 상대의 마음을 읽을 수 있다면! 그 사랑은 얼마나 평화로울 것인가! 얼마나 순수한 사랑이 될 것인가!"

쥘리에트가 갑자기 얼굴을 내 어깨에 파묻더니 말했다.

"제롬! 제롬! 꼭 알리사를 행복하게 해 줄 거라고 믿어! 만약 제롬 때문에 알리사가 힘들어한다면, 난 제롬을 정말 미워하게 될 것 같아."

제, 제롬. 너무
흥분한 것 같은데?

"그래, 쥘리에트. 나도 나 자신을 미워하게 될
거야. 내가 아직 나의 미래를 확실히 정하지 않은
것은 알리사와 함께하기 위해서야! 난 나의 모든
것을 알리사에게 걸었어! 알리사 없인 그 어떤
것도 원하지 않아."

"그런 말을 하면 알리사가 뭐라고 해?"

"이런 이야긴 알리사한테 절대 하지 않아! 아직 약혼하
지 않은 건 그 때문이기도 해. 우리 사이에 결혼 같은 건
문제가 안 돼. 그 후에 우리가 뭘 할지도. 쥘리에트! 알리
사는 내게 너무나 아름답게만 보여. 무슨 말인지 알겠어?
알리사에게는 이런 말을 못 하겠어."

"갑작스럽게 말해서 놀라게 해 주고 싶어?"

"아냐. 오히려 난, 내가 꿈꾸는 행복이 그녀를 놀라게
할까 봐 두려워! 언젠가 알리사에게 여행하고 싶지 않느
냐고 물었더니 자기는 그런 아름다운 나라들이 있고, 남
들이 거기에 가 볼 수 있다는 것만으로도 충분히 행복하
다는 거야."

"그럼 제롬은 여행하고 싶어?"

"어디든지! 내겐 인생 자체가 알리사와 함께 책이며, 사람들이며, 많은 나라들을 통해서 가는 긴 여행처럼 보여. 이 시가 무슨 뜻인지 생각해 본 적 있니? '닻을 올린다'[보들레르의 시 〈나그네〉의 시구]라는 말 말이야."

"나도 가끔 그 말을 생각해."

쥘리에트가 중얼거렸다. 하지만 난 그녀의 말을 귀담아 듣지 않고 내 말을 계속했다.

"밤에 떠나, 눈부신 여명黎明 속에서 잠을 깬다. 불안스러운 파도 위에 단 두 사람만 있음을 느끼며."

"그리고 아주 어렸을 때, 이미 지도 위에서 보았던 어느 항구에 도착한다. 거기선 모든 게 미지의 것이고. 제롬의 팔에 기댄 알리사가 함께 발판을 딛고 배에서 내리는 게 보이는 것 같아."

"우리는 우체국으로 가겠지."

여명(黎明) : 날이 샐 무렵.

나는 웃으면서 말했다.

"쥘리에트가 우리한테 보낸 편지를 찾으러."

"내가 여기 혼자 남아 보낼 편지? 그 때는 아마 알리사와 제롬에게 이 곳은 작고 쓸쓸하고 멀게 보이겠지."

이 말이 쥘리에트의 말이었는지 확실히 기억하지 못한다. 그 때 나는 내 사랑, 알리사에 대한 이야기 말고는 귀에 잘 들어오지 않았다.

우리가 갔던 길을 되돌아가려고 돌아섰을 때, 알리사의 모습이 보였다. 알리사의 얼굴이 너무 창백해서 쥘리에트는 그만 소리를 질렀다.

"아, 나 몸이 좀 불편해. 바람이 차네. 이만 들어가는 게 좋겠어."

그렇게 말하고 알리사는 집으로 가 버렸다.

"우리 이야기를 모두 들었어!"

알리사가 멀어지자, 쥘리에트가 소리치듯 말했다.

"흐음, 제롬은 너무 여자의 마음을 모르는 것 같다.

"하지만 언니가 기분 상할 말은 하나도 안 했는걸."

쥘리에트가 언니를 뒤쫓아갔다.

"갈래."

그 날 밤, 나는 잠을 잘 수 없었다. 알리사는 저녁 식사 때 나타나긴 했지만, 금방 머리가 아프다며 방으로 가 버렸다. 알리사는 우리의 대화에서 뭘 들은 걸까? 나는 내가 한 말들을 다시 생각해 보았다. 내가 쥘리에트에게 너무 바짝 붙어서 걸었나, 어깨동무를 하고 있던 것이 잘못이었나. 하지만 그런 것은 우리가 어려서부터 자연스럽게 해 왔던 일들이었고, 알리사는 몇 번이나 우리의 그런 모습을 보았었다. 걱정과 불안으로 마음이 흔들리고, 알리사가 의심할지도 모른다는 생각에 두려워진 나는 다음 날 약혼하기로 결정을 내렸다.

떠나기 전날이었다. 알리사는 나를 피하는 것 같았다. 나는 저녁 식사 직전에 그녀의 방으로 찾아갔다. 알리사는 산호 목걸이를 걸고 있는 중이었다.

"어머, 제롬! 방문이 닫혀 있지 않았었니?"

"노크를 했는데 대답이 없어서. 알리사, 내가 내일 떠
난다는 건 알고 있지?"

알리사는 아무 말도 하지 않았다. '약혼'이란 말은 너
무나 거칠고 강하게 여겨졌기 때문에, 나는 그 말을 돌려
서 말했다. 내 말뜻을 알아듣자, 알리사는 비틀거리며
벽에 몸을 기댔다.

나는 알리사의 손을 잡았다. 알리사는 손을
빼지는 않았지만 얼굴을 숙이고, 조용히 속삭
였다.

알리사가 약혼을
피하는 진짜 이유는 뭘까?
제롬을 좋아하면서 말이야.

"안 돼, 제롬. 안 돼, 제발. 우리 약혼은 하지
말자."

내 심장이 무척 뛰었기 때문에 알리사도
그걸 알았을 것이다. 그녀는 좀 더 부드럽게
다시 말했다.

"안 돼, 아직은 안 돼."

제롬이 불쌍해 보여. 알리사, 숨기지 말고 속 시원하게 얘기해 주면 안 돼?

"왜?"

"그건 내가 묻고 싶은 말이야. 왜 지금의 이 행복한 상태를 바꾸려는 거야?"

나는 그 전날 있었던 일을 생각했지만 말하지는 않았다. 하지만 알리사는 내가 그런 생각을 하고 있다는 걸 느꼈는지 답을 하듯이 말했다.

"아니야. 오해야. 난 그렇게 많은 행복은 원하지 않는걸. 우린 지금 이대로도 행복하지 않니?"

알리사는 미소를 지으려고 했지만 잘 되지 않았다.

"행복하지 않아. 이제 너와 작별해야 하는걸."

"들어 봐, 제롬. 우리의 남은 시간을 망치지 말자. 정말 이러지 말자. 나는 언제나처럼 너를 사랑해. 지금 말하지 못한 건, 편지로 써서 보낼게. 약속할게. 당장 내일이라도. 이젠 가 봐. 어머, 내가 울고 있었네. 가, 혼자 있고 싶어."

알리사는 나를 살짝 밀어 냈다. 그것이 우리의 작별이었

다. 그 날 저녁 나는 그녀와 단 한 마디도 더 하지 못했고,
다음 날 내가 떠날 때, 알리사는 방에서 나오지 않았다.
하지만 내가 탄 마차가 멀어져 가는 것을 창에서 바라보
며 손을 흔들어 주었다.

3장

미래에 대한 불안감과 희망

얼마 동안 나는 아벨을 거의 만나지 못했다. 아벨이 군에 입대를 했기 때문이다. 아벨은 전역 후에도 한 달이나 여행을 하고 돌아왔다. 못 본 사이 그가 변하지 않았을까 걱정했는데, 오히려 예전보다 더 활기차 보였다.

나는 아벨을 만나자마자 그 동안 있었던 알리사와의 일들을 자세히 털어놓았다. 여자들을 여럿 사귀어 보았던 아벨은 여자를 그렇게 다루면 안 된다는 둥, 너는 결정적인 말을 할 줄 모른다는 둥 빈정댔다.

아벨은 보통의 연인들과는 다른, 나와 알리사만의 특별한 관계를 전혀 이해하지 못하고 충고를 해 주었다. 나는 그런 충고가 나와 알리사에게는 소용이 없다고 생각했다.

다음 날, 알리사에게서 편지를 받았다.

암, 알리사와 제롬은 다른 연인들과는 다르지. 어쩐지 철부지 같지가 않거든. 서로 그렇게들 좋아하면서 왜 표현을 안 하는지? 쩝.

　그리운 제롬.

　네가 나에게 한 말을 생각해 보았어.

　아무래도 난 너에 비해 나이가 너무 많은 것 같아. 지금은 그런 생각이 안 들지 몰라도 나중에라도 네가 나와 결혼한 것을 후회하거나 우리 사랑이 변한다면 몹시 괴로울 거야.

　내 말은, 네가 좀 더 나이가 들고 인생을 알게 될 때까지만 기다리자는 거야.

　널 진심으로 사랑하기 때문에 하는 말이라는 걸 알아 줘. 내가 널 사랑하지 않게 되는 일은 절대로 없을 거야.

– 알리사로부터.

우리가 사랑하는 마음이 변하다니! 어떻게 그런 일이

있을 수 있을까! 슬프기보다는 오히려 당황^{唐慌}스러웠다. 난 이 놀라운 편지를 들고 아벨에게 갔다.

아벨은 편지를 읽더니 이렇게 말했다.

"내 생각엔 답장을 하지 않는 게 좋을 것 같아. 여자하고 말싸움을 해 봐야 질 게 뻔하니까. 제롬, 주말에 외삼촌 댁으로 가자. 오랜만에 너희 친척들을 만나고 싶다는 핑계로 말이야. 네가 알리사랑 이야기할 동안 쥘리에트는 내가 맡을게. 아! 우리가 간다는 사실은 알리지 마. 알리사가 이것저것 생각할 틈을 줘서는 안 돼."

외삼촌 댁의 문을 열었을 때, 나는 무척 가슴이 뛰었다. 쥘리에트가 달려나와 우리를 마중했다. 알리사는 한참 후에야 나타났다. 그녀는 내가 갑자기 방문한 것에 대해 화가 난 것 같았다. 쥘리에트의 활달한 모습 때문에 알리사의 차분한 모습이 더 두드러져 보였다. 그녀는 아무 말 없

───────

당황(唐慌) : 다급하여 어찌할 바를 모름. 놀라서 어리둥절해짐.

이 계속 바느질만 하고 있었다.

점심을 먹은 뒤 쥘리에트가 나를 정원으로 불렀다.

"글쎄, 누가 나한테 청혼을 했지 뭐야. 고모가 어제 아빠에게 편지를 보냈는데, 님에서 포도 농장을 한다는 사람이 나한테 청혼을 했대. 고모 말로는 아주 훌륭한 사람이래. 파티에서 나를 보고 홀딱 반했다나 봐."

"너도 그 사람을 눈여겨봐 두었니?"

나는 어쩐지 기분이 좋지 않았다.

"아니. 누군지는 알아. 좋은 사람이긴 한데 똑똑하지도 못하고 아주 못생긴 데다가 우스꽝스러운 사람이야."

"그래, 잘 될 것 같아?"

나는 비꼬며 말했다.

"아, 제롬. 농담하지 마. 그 사람은 그냥 장사꾼이야. 제롬이 그 사람을 한 번 보기만이라도 했다면 그런 말은 하지도 않았을걸."

"외삼촌은 뭐라고 하셨어?"

"그냥, 내가 핑계 댄 그대로 전하셨지 뭐. 나

그런데 쥘리에트 너도 그 사람이 마음에 들어?

는 결혼을 하기엔 아직 너무 어리다고. 그런데 그 사람 끈질기게도 말이지……."

쥘리에트는 웃으며 말을 이었다.

"고모 말이 테시에르 씨는, 그게 그 사람 이름이야, 언제까지고 기다릴 생각이며 그저 지금 일찌감치 청혼을 해둔 것뿐이래. 아, 정말 어이가 없어서. 얼굴이 너무 못생겨서 싫다고 할 수도 없고."

"그럼 포도 농장 주인은 싫다고 하면 되잖아."

쥘리에트는 어깨를 으쓱해 보였다.

"그런 말은 고모한테 안 통하지. 이제 내 이야기는 그만 하고. 알리사가 편지했어?"

내가 알리사의 편지를 보여 주자, 쥘리에트는 얼굴을 붉히면서 읽었다.

"도대체 어떻게 할 생각이야?"

쥘리에트는 화가 난 것 같았다.

"모르겠어. 차라리 답장을 쓸 걸 그랬나 봐. 너 혹시 알리사가 왜 이런 편지를 썼는지 알고 있니?"

"알리사는 제롬을 자유롭게 해 주고 싶은 거야."

"난 그런 자유 따위는 바라지 않아! 도대체 알리사가 왜 그런 생각을 한 거지?"

"모르지."

쥘리에트가 차가운 말투로 대답했다. 그녀의 말투가 너무 차가워서 순간瞬間적으로 나는 그녀가 뭔가 이 일에 대해 알고 있을지도 모른다는 생각이 들었다. 쥘리에트는 갑자기 발길을 돌리며 말했다.

"난 이만 갈게. 제롬은 나랑 이야기하러 온 게 아니잖아. 너무 오랫동안 같이 있었고."

쥘리에트는 도망치듯 집으로 가 버렸다. 얼마 후, 그녀가 피아노를 치는 소리가 들려왔다.

내가 거실에 들어갔을 때, 쥘리에트는 아무렇게나 피아노를 치면서, 아벨과 이야기를 나누고 있었다. 나는 다시 밖으로 나와 알리사를 찾아서 정원을 헤맸다.

순간(瞬間) : 눈 깜짝할 사이. 잠깐 동안.

알리사는 정원에서 꽃을 꺾고 있었다. 내가 다가가도 돌아보지 않았지만, 알리사의 몸이 가볍게 떨리는 것을 보았다. 나는 그녀의 차가웠던 눈빛을 생각하며 애써 용기를 내었다. 그녀는 마치 토라진 어린아이처럼 고개를 푹 숙인 채, 꽃을 가득 쥔 손을 나에게 내밀면서 다가오라고 손짓했다.

앗, 드디어 제롬과 알리사가 둘만 남았군요.

그러고는 내가 일부러 멈추어 서자 드디어 고개를 들었다. 알리사의 얼굴에는 미소가 떠올라 있었다. 그 미소를 보자, 두려움도 걱정도 사라지고 모든 것이 간단해 보이면서 쉽게 말문을 열 수 있었다.

"네 편지 때문에 다시 왔어."

"그럴 줄 알았어."

알리사는 화난 목소리를 가라앉히며, 좀 더 부드럽게 말하려고 노력했다.

"내가 화가 난 점도 바로 그거야. 넌 왜 내 마음을 몰라 주는 거니? 그냥 넘어가면 될 별일도 아닌 일이었는데. 전에도 말했지만 우리는 지금 이대로 행복하잖아."

온실은 식물이나 동물을 기르기 위해 알맞은 온도와 습도를 유지하도록 만든 건물이야. 아, 난 '온실 속의 화초'처럼 곱게 자랐다니까! ㅋㅋ.

맞다. 난 알리사가 내 곁에 있기만 하다면 행복했다. 나는 그저 그녀의 미소를 바라보고, 그녀의 손을 잡고 꽃들이 피어 있는 따사로운 산책길을 걸을 수만 있다면 다른 것은 아무것도 필요하지 않았다.

"만약 네가 지금 이대로 있는 편이 더 좋다면."
나는 무겁게 입을 열었다.

"우리 약혼 따위 하지 말자. 네 편지를 받았을 때, 그 때 내가 행복하다는 것과 앞으로 다시 그처럼 행복하지 못하리란 걸 알 수 있었어. 아, 전에 가졌던 그 행복을 돌려줘. 나는 그 행복 없이는 견디지 못해. 나는 평생이라도 널 기다릴 만큼 널 사랑해."

"어머, 제롬. 난 널 의심하지 않아."

이 말을 할 때, 알리사의 목소리는 조용하면서도 슬프게 들렸다. 그러나 그녀의 미소가 변함없이 너무 맑고 아름다웠기에 불안해하며 수선을 떤 내가 부끄러워졌다. 나는 나의 앞으로의 계획이며, 새로운 삶의 모습, 사범학교에 대한 이야기들을 했다.

그 때 우리는 온실의 유리 창틀에 걸터앉아 있었다. 알리사는 내 이야기에 귀를 기울이며 이것저것 물었다. 여태껏 그보다 더 그녀의 뜨거운 애정을 느낀 적은 없었다. 의심, 근심, 그리고 걱정까지도 모두 알리사의 아름다운 미소 속으로 사라져 버렸다.

잠시 후, 쥘리에트와 아벨이 우리와 함께 의자에 앉아, 시를 한 구절씩 읽으며 그 날의 남은 시간을 보냈고, 아벨과 내가 떠나야 할 저녁이 왔다.

"자!"

알리사는 우리가 떠날 때 내게 입을 맞추었다.

"이제부터는 그런 쓸데없는 걱정이나 상상은 하지 않겠다고 약속해."

온실과 알리사, 미소, 사랑…… . 캬~ 분위기 좋은데? 정말 가슴까지 따뜻해지는 기분이야.

아벨이 둘만 있게 되자 물었다.

"약혼은 어떻게 됐어?"

"약혼은 이제 상관 없어."

나는 대답하고 나서 아벨의 질문들을 막기 위해서 곧바로 다시 이어서 말했다.

"지금 이대로 있는 편이 훨씬 좋아. 지금까지 오늘 오후처럼 행복했던 적은 결코 없었어."

"나도."

아벨이 갑자기 나를 끌어안으며 말했다.

"놀라운 이야기 해 줄까? 제롬, 난 쥘리에트를 미친 듯이 사랑해! 지난 해에도 그런 생각을 좀 하긴 했지만 이제 확실해졌어. 이제 내 인생은 결정됐어. 나는 사랑한다. 사랑한다기보다는 난 쥘리에트를 숭배한다!〔라신의 비극〈브라타니퀴스〉에 나오는 네로의 대사를 흉내낸 것〕"

아벨은 웃고 장난치며 팔을 돌려 나를 껴안는가 하면, 우리가 탄 파리행 기차의 좌석 위에서 어린아이처럼 뒹굴었다. 아벨의 고백으로 나는 몹시 놀랐지만 그의 과장^{誇張}된 표현들 때문에 괴롭기도 했다. 하지만 그처럼 벅찬 감

과장(誇張) : 사실보다 지나치게 떠벌려 나타냄.

동과 기쁨을 무슨 방법으로 막겠는가?

"쥘리에트에게 고백은 했니?"

나는 흥분해 있는 아벨에게 간신히 물어 봤다.

"아니!"

아벨은 소리를 질렀다.

"역사의 가장 중요한 순간을 쉽게 보내고 싶지 않아. 사랑의 가장 아름다운 순간은 '너를 사랑한다!'고 말할 때가 아니겠어.[쉴리 프뤼돔의 서정시의 1절] 느림보 제롬! 날 비난하지 않겠지?"

"하지만 결과는?"

나는 좀 약이 올라 말을 이었다.

"쥘리에트가 과연 네 고백을 받아들일까?"

"아니, 아까 쥘리에트가 날 보고 당황하는 걸 못 봤니? 우리가 방문하여 머무는 동안 계속 흥분해서 얼굴을 붉히고 말을 멈추지 못하고 그랬잖아. 맞아, 넌 물론 아무것도 눈치채지 못했을 거야. 정신이 모두 알리사에게 가 있으니! 쥘리에트

사랑에 빠지면 어린아이가 된다더니. 쯧쯧, 아벨 너무 좋아하는 거 아냐?

단테는 이탈리아의 시인이야. 〈신 곡〉이라는 위대한 작품을 남겼지.

가 어찌나 질문을 하고 내 말에 귀를 기울이는지! 일 년 동안 정말 똑똑해졌 더라. 도대체 네가 왜 쥘리에트가 책을 싫어 한다고 생각했는지 모르겠다. 넌 책이란 오 직 알리사를 위해서만 있는 줄 알고 있지? 제롬, 쥘리에트는 별별 걸 다 알고 있어. 저녁 먹 기 전에 우리가 무엇을 하며 시간을 보냈는지 알아? 단테 의 시를 암송하며 보냈어. 둘이서 한 줄씩 읊는데 말이지, 내가 틀릴 때는 그녀가 고쳐 주었어. 쥘리에트가 이탈리 아어를 배웠다는 말을 왜 해 주지 않았어?"

"나도 몰랐어."

나는 정말 놀라며 말했다.

"아니, 쥘리에트 말로는 네가 단테의 시들을 가르쳐 줬 다고 하던데."

"아마 알리사에게 읽어 주는 걸 들었나 보지. 우리 곁 에서 바느질을 하면서 말이야. 하지만 알고 있다는 눈치 는 전혀 보이지 않던데."

"그랬겠지. 알리사와 너는 정말 대단한 이기주의자거든. 자기네들 사랑에만 푹 빠져서는 쥘리에트가 가지고 있는 그 재능, 그 영혼이 찬란燦爛하게 꽃을 피우는 걸 보지도 못하다니! 내가 잘났다는 건 아니지만, 아무튼 내가 때맞춰 잘 나타난 거야."

아벨은 그렇게 말하고는 나를 또 꼭 껴안았다.

"이거 하나만 약속해 줘. 이 일에 대해서는 알리사에게 단 한 마디도 하지 않겠다고. 내 일은 내가 알아서 처리할 테니까. 쥘리에트는 이미 나한테 잡힌 거나 다름없어. 다음 방학 때까지는 아무것도 안 하고 그대로 내버려 둘 거야. 편지도 쓰지 않고. 하지만 새해가 오면 너하고 쥘리에트의 집에 가서 방학을 보내고, 그러고 나면."

"그러고 나면?"

"알리사는 우리의 약혼을 알게 되겠지. 난 이 일을 재

찬란(燦爛) : 빛이 눈부시게 아름다움.

빨리 해치울 거야. 그러면 무슨 일이 일어날지 알아? 알리사가 너와 약혼하는 거지. 네가 해내지 못한 일을 내가 해 주겠어. 쥘리에트와 내가 알리사에게 말하는 거야. 너희가 결혼하기 전에는 우리도 결혼하지 않겠다고."

아벨은 그치지 않고 이야기를 계속했다. 기차가 파리에 도착하고, 우리가 사범학교로 돌아올 때까지도 그는 멈추지 않고 계속했다. 역에서 학교까지 걸어오면서 이야기하고, 밤이 깊었음에도 아벨은 내 방까지 따라와 아침이 다 되도록 이야기를 계속했다.

아벨은 현재와 미래까지도 마음대로 다루며 흥분했다. 그는 벌써부터 두 쌍의 결혼식이 눈앞에 보이는 것이었다. 각 쌍의 기쁨과 놀라움을 상상하고 묘사描寫하기도 하였고, 우리의 사랑, 우리의 우정, 그리고 내 사랑에 대한 자신의 임무 등 이야기의 아름다움에 빠져 버린 것이다. 나는 이토록 솔직하고 즐거운

오호, 쥘리에트와 아벨이 약혼을 하면 알리사도 마음이 바뀔 거라고 생각한건가?

묘사(描寫) : 눈으로 보거나 마음으로 느낀 것을 그림을 그리듯 표현함.

아벨의 열정에 저항할 수 없었다. 결국은 스스로 그 기분에 젖어들어 그의 말들에 넘어가고 말았다. 사랑 덕분에 우리의 꿈과 용기는 부풀어오르기만 할 것이다. 학교를 졸업하자마자 목사의 주례에 의하여 두 쌍의 결혼이 축복 받고 우리 넷은 여행을 떠나는 것이다. 그리고 우리가 뭔가 대단한 일들에 착수하면 아내들은 기꺼이 우리에게 도움을 주겠지. 교수직엔 별로 마음이 끌리지 않고 글에는 소질이 있다고 자신하는 아벨은, 몇 편의 희곡으로 성공하여 많은 재산을 순식간에 모으고, 학문에서 나오는 이익보다는 학문 자체에 마음이 끌리는 나는 종교철학에 몰두하며 그 역사를 써 보기도 하겠지. 하지만 지금 와서 그 때 떠올렸던 그런 희망찬 일들을 다시 생각한들 뭐 하겠는가?

그 다음 날부터 우리는 다시 공부에 열중했다.

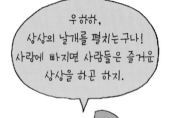

우하하, 상상의 날개를 펼치는구나! 사랑에 빠지면 사람들은 즐거운 상상을 하곤 하지.

4장
쥘리에트의 고백

새해 휴가까지는 시간이 얼마 남지 않았고, 알리사와의 지난 만남으로 나는 무척 행복했다. 나는 일요일마다 알리사에게 긴 편지를 썼다. 다른 요일에도 같은 반 친구들과는 어울리지 않고 오직 아벨을 만나거나, 알리사를 생각하며 시간을 보냈다. 좋아하는 책에다 알리사를 위한 글을 적기도 했다.

알리사에게서 오는 편지는 여전히 나를 불안하게 만들었다. 알리사는 내 편지에 꼬박꼬박 답장을 보내 왔지만, 대부분 내 공부를 걱정하는 내용들이었다. 그래도 좋다! 어떤 불만도 갖지 않기로 결심한 나는 그러한 내 불안이

나 걱정이 편지 속에 드러나지 않도록 조심했다.

12월 말쯤, 아벨과 나는 외삼촌 댁으로 갔다. 먼저 블
랑티에 이모 댁에 들렀다. 이모는 내 건강이며 학교 이야
기를 물으시다가, 알리사의 이야기를 물어 보셨다.

"외삼촌 댁에서는 어땠어? 알리사하고는 이야기가 좀
됐니?"

이모가 나를 생각해서 관심을 갖고 묻는다는 건 알고
있었지만 그 때 일을 생각하니 다시 마음이 아파 왔다. 나
는 좀 차갑게 대답했다.

"지난 봄에는 아직 약혼하기에 어리다고 하셨잖아요?"

"그래, 그랬지. 원래 어른들은 그렇게 말하는 법이야."

이모는 내 손을 꼭 쥐고는 말씀하셨다.

"네가 공부나 군대 때문에 몇 년 뒤에야 결혼할 수 있
다는 건 잘 알고 있어. 하지만 약혼은 빨리 하는 게 좋
아. 약혼도 하지 않고 오랜 시간을 기다린다는 건 때로
처녀들에게 아주 힘든 일이지. 그리고 결혼을 약속했다

는 걸 사람들에게 꼭 알리렴. 그러면 다른 사람들이 이제 알리사에게 관심을 가져 봐야 소용이 없다고 생각할 테니깐. 또 너희들이 편지를 주고받거나 만나는 일도 자연스럽게 할 수 있어. 만약 다른 사람이 알리사에게 청혼을 하면…… 있을 법한 일이잖니?"

아직 나이가 많지도 않은데 왜 자꾸 제롬에게 약혼을 하라고 하는 걸까?

이모는 웃으며 다시 말했다.

"그럴 때, '안 돼요. 전 이미 제롬과 약혼했어요.'라고 확실히 거절할 수도 있고 말이야. 너도 알겠지만 쥘리에트에게도 청혼이 들어왔단다. 쥘리에트는 아직 좀 어리지. 그리고 그 애도 그런 이유로 청혼을 거절했어. 그런데 그 남자는 기다리겠다는 거야. 아주 좋은 자리야. 너도 내일 그 사람을 볼 수 있을 거야. 크리스마스 트리를 보러 오겠다고 했으니까. 네가 보기엔 어떤지 내일 꼭 이야기해 주렴."

우리 나라에도 옛날에는 '꼬마 신랑'이라는 말이 있을 정도로 아주 일찍 결혼하는 풍습이 있었는걸.

"이모, 그 남자가 헛된 노력을 하는 게 아닐

까요? 쥘리에트가 따로 좋아하는 남자가 있을지도 모
르고?"

나는 아벨의 이름을 대지 않으려고 조심하면서 말했다.

"뭐?"

이모는 깜짝 놀라서 나를 바라보았다. 그리고 머리를
가로저으며 말했다.

"설마, 그렇다면 쥘리에트가 왜 말하지 않았겠니?"

나는 더 이상 이야기하지 않으려 꾹 참았다.

"두고 보면 알겠지. 사실 쥘리에트는 요즘 아
프단다."

이모는 말을 계속해 나가셨다.

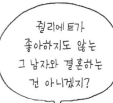

"아니지, 지금은 쥘리에트의 이야기를 할 때가 아
니지. 맞아! 알리사한테 약혼 선언宣言은 했니, 안
했니?"

나는 망설이다 대답해 버렸다.

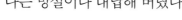

선언(宣言) : 자신의 뜻을 널리 퍼서 나타냄.

"했어요."

얼굴이 화끈 달아오르며 빨개졌다.

"알리사는 뭐래?"

나는 대답하고 싶지 않아서 고개를 숙여 버렸다. 이번에는 이모의 질문이 정말 마음에 들지 않았다.

"거절했어요."

"아, 그래? 그럴 수도 있지."

이모는 말했다.

"너희 둘이야 언제든 약혼할 수 있으니까. 지금이 아니라도. 그럼, 그렇지."

"이제 제발 약혼 이야기는 그만 하세요."

나는 한사코 막으려고 했으나 소용없었다.

"알리사로서는 약혼을 거절할 수 있어. 그 애는 언제나 너보다 어른스럽고 신중愼重하니까."

나는 왜인지는 모르겠지만 가슴이 찢어질 듯이 아팠다.

신중(愼重) : 매우 조심성이 있음.

난 아이처럼 이모의 무릎에 머리를 묻고 울먹였다.

"아니에요, 이모. 그런 게 아니에요."

하고 외쳤다.

"알리사는 다음에 하자고도 하지 않았단 말이에요."

"뭐? 그럼 알리사가 널 싫어하기라도 한단 말이니?"

이모는 손으로 내 얼굴을 따뜻하게 쓰다듬으며 말했다.

"그것도 아니에요. 정말 그런 것도 아니에요."

나는 슬프게 머리를 가로저었다.

"알리사가 더 이상 널 사랑하지 않을까 봐 겁이 나니?"

"아니에요. 그게 아니에요."

"제롬, 좀 더 자세히 말을 해 보렴."

나는 모든 것이 부끄럽고 슬펐다. 이모는
아무것도 모르고 있었다. 하지만 이모가 알리사
에게 자연스럽게 이 일에 대해서 물어 봐 줄
수도 있을 것 같았다. 이모는 내 마음을 읽기라
도 한 것처럼 먼저 그 이야기를 꺼냈다.

"제롬, 내일 아침 알리사가 크리스마스 트

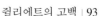

그래? 이 모가
알리사에게 물어 봐 주세요.
여자들끼리는 말이
통할지도 모르잖아요.

리를 장식하러 우리 집에 올 테니, 내가 한번 물어 보마.
왜 거절했는지 말이야. 그리고 점심 때 알려 줄게. 알고
보면 아무 일도 아닐 거야. 그럼, 그럼, 아무 일도 아니고
말고."

저녁에는 외삼촌 댁에서 식사를 했다. 쥘리에트는 정말
몸이 아픈지 예전과는 달라 보였다. 눈빛이나 표정이 무
척 차가워 보였다. 그 날 저녁 나는 알리사나 쥘리에트와
별 이야기를 나눌 수 없었다. 나도 이야기할 기
분이 들지 않았고 삼촌이 무척 피곤해 보이셔
서 이모 댁으로 일찍 돌아왔다.

이거 이거,
완전 분위기 다운인데.
내가 한번 가서 분위기
띄워 줘야 하는 건
아닌가 몰라.

블랑티에 이모 댁의 화려하고 아름다운 트
리는 매년 많은 사람들이 관심을 가지고 보러
왔다. 크리스마스 아침, 이모 말대로 알리
사가 트리 장식하는 것을 도우러 왔다.
난 알리사를 도우며 그 옆에 있고 싶었지
만 이모와 알리사가 이야기를 할 수 있도

록 자리를 피해 집 밖으로 나왔다.

"제롬, 이 바보!"

내가 집으로 들어서자마자 이모는 외쳤다.

"넌 정말 쓸데없는 걱정을 했어. 네가 알리사에 대해
걱정했던 일들은 정말 아무 일도 아니더구나. 미스
애슈브르통을 산책 보내고 나와 알리사, 둘만
남게 되자 내가 물었지. 왜 제롬이 약혼하자고
했을 때 거절했냐고. 나는 복잡複雜할 것도 없이
아주 솔직하게 물었어. 그랬더니 알리사는 조금도 당
황하지 않고 제 동생 쥘리에트보다 먼저 결혼하고 싶지
않아서라고 하더라. 만약 너도 나처럼 그냥 물어 봤
다면 알리사가 그렇게 솔직하게 대답했을 텐데. 불
쌍한 알리사는 아버지를 두고 떠날 수 없다고 했어.
우리는 많은 이야기를 나누었지. 그 애는 침착하고 똑똑
한 아이야. 자기가 너에게 어울리는 사람인지 아직 자신

응? 쥘리에트보다
늦게 결혼하겠다고? 왜?
알리사가 언니잖아.

복잡(複雜) : 여러 가지 사물이나 사정 등이 겹치고 뒤섞여 어수선함.

이 없다더라. 또 자기가 나이가 너무 많지 않은지 걱정이고 너한테는 쥘리에트같이 어린 여자 애가 더 낫지 않겠느냐고."

이모는 계속해서 말을 했지만 더 이상 들리지 않았다. 나에게 중요한 것은 단 하나, 알리사가 쥘리에트가 결혼하기 전에는 먼저 결혼하지 않을 거라는 말. 아, 아벨! 쥘리에트에게는 아벨이 있어! 아벨의 말이 맞았어. 우리 두 쌍이 동시에 결혼식을 올리는 거야.

아주 간단한 이야기였지만 그 이야기는 나를 기쁘게 했다. 이모 역시 자신이 내게 기쁨을 주었다는 사실에 무척 기뻐했다. 점심 식사가 끝나자마자 나는 급한 일이 있다고 말하고는 아벨에게로 달려갔다.

"거 봐, 제롬. 내가 뭐라고 했어?"

이 소식을 알려 주자 아벨은 나를 안으며 소리쳤다.

"제롬, 오늘 아침 쥘리에트에게 결정적인 이야기를 했어. 쥘리에트가 무척 피곤하고 불안해 보이고 더 깊이 이야기를 하면 그녀가 흥분하거나 놀랄까 봐 걱정

이 돼서 거의 네 이야기만 했지만. 하지만 네 이야기를 듣고 나니 안심이야! 얼른 가서 모자를 가지고 와야지. 쥘리에트의 집 앞까지만 같이 가 줘. 아, 난 하늘로 날아갈 것 같아. 알리사가 자기 때문에 너와의 약혼을 거절했다는 것을 알게 되고, 내가 청혼을 한다면. 아, 제롬. 난 우리가 결혼하는 모습이 눈앞에 보이는 것 같아."

저녁이 다가왔다. 아벨과 헤어지고 난 후, 나는 마음이 불안하여 아무것도 할 수 없었다. 길을 잃기까지 했다. 겨우 이모 댁에 도착했을 때는 아이들, 친척들, 친구들이 모여서 파티를 하고 있었다.

집으로 들어서자마자 나는 알리사를 보았다. 알리사는 나를 보자마자 기다렸다는 듯이 다가왔다. 알리사는 우리 어머니가 주는 선물로 내가 전해 준 오래된 십자가 목걸이를 걸고 있었다. 난 그녀가 그 목걸이를 하고 있는 것을 그 날 처음 보았다. 알리사의 괴로워 보이는 얼굴이 내 마음을 아프게 했다.

"제롬, 왜 이렇게 늦었어?"

알리사가 다급하게 말했다.

"너에게 할 말이 있어서 기다렸는데."

"미안해. 길을 잃어서. 그런데 알리사, 얼굴빛이 좋지 않아. 왜 그래? 무슨 일 있니?"

알리사는 당황하여 잠시 입술을 떨었다. 그리고 무언가 이야기하려고 하는데 손님들이 들어왔다.

"말하기엔 너무 늦었어."

알리사는 그렇게 중얼거렸다. 그러다 내 눈에 눈물이 고이는 것을 보더니 날 안심시키려고 이렇게 말했다.

"아니야, 아무것도. 걱정하지 마. 난 그냥 머리가 아플 뿐이야. 아이들이 너무 시끄럽게 굴어서 잠시 여기로 피해 온 거야. 이제 그만 아이들 곁으로 가 봐야겠어."

알리사는 그렇게 말하고는 가 버렸다. 나는 거실에 가서 다시 알리사를 만나야겠다고 생각했다. 알리사는 아이들과 놀고 있었다. 그녀와 나 사이에는 많은 사람들이 있었고, 알리사와 내가 이야기할 틈은 없었다.

애기를 좀 해, 알리사!
제롬이 들려 줄
이야기가 있대!

내가 정원으로 난 커다란 유리문 앞을 막 지나가는데, 쥘리에트가 내 팔을 잡았다.

"온실로 와."

쥘리에트는 재빨리 말했다.

"꼭 할 말이 있어. 먼저 가 있어. 곧 갈게."

그렇게 말하고는 쥘리에트는 사라졌다.

도대체 무슨 일이 있었던 것일까? 나는 아벨을 만나고 싶었다. 아벨이 무슨 말을 한 걸까? 청혼을 했을까? 나는 이런저런 생각을 하며 쥘리에트를 만나러 온실로 갔다.

쥘리에트의 얼굴은 빨갛게 달아올라 있었다. 그녀는 무척 화가 난 것처럼 보였다.

"알리사가 무슨 말 했어?"

쥘리에트가 입을 열었다.

"그냥 한두 마디 정도. 내가 너무 늦게 돌아와서."

"알리사가 내가 자기보다 먼저 결혼하기를 원한다는 걸 알아?"

"응."

쥘리에트가 나를 똑바로 쳐다보았다.

"그럼 알리사가 내가 누구랑 결혼했으면 하고 바라고 있는지도 알아?"

나는 아무 말도 하지 못했다.

"제롬이야."

쥘리에트가 소리쳤다.

"말도 안 돼."

"그래. 말도 안 되지?"

쥘리에트는 기뻐 보이기도 했고 슬퍼 보이기도 했다.

"이제 내가 뭘 해야 하는지 잘 알아."

쥘리에트는 문을 '쾅' 닫더니 나가 버렸다.

나는 이 모든 일들 때문에 머리가 아파서 쓰러질 것 같았다. 아벨을 찾아야 해. 나는 그를 찾아 다시 방으로 돌아갔다. 아이들의 크리스마스 노래 소리가 들리고, 사람들이 보였다. 다시 방 밖으로 나오려는데 문에 기대어 있는 아벨의 모습이 보였다. 우리의 눈이 서로 마주쳤고, 나는 아벨에게 다가갔다.

"제롬, 이 바보야."

아벨은 조용하게 말했다.

"자, 나가자."

밖으로 나와 내가 걱정스러운 눈으로 그를 바라보자, 아벨은 아까 했던 말을 다시 내뱉었다.

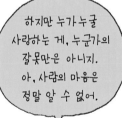

"제롬, 이 바보야. 쥘리에트가 사랑하는 사람은 바로 너야. 제롬. 이 바보 같은 자식아. 왜 미리 나한테 말해 주지 않았니?"

나는 하늘이 도는 것 같았다.

"말해 줄 수가 없었겠지. 쥘리에트가 널 사랑하는지 알지도 못했을 테니까."

아벨은 씩씩거리며 내 팔을 흔들었다.

"아벨, 부탁이야. 제발 진정하고. 도대체 무슨 일이 일어난 건지 나한테 말해 줘. 나는 정말 뭐가 어떻게 됐다는 건지 하나도 모르겠어."

아벨은 아무 말 없이 나를 바라보더니, 갑자기 나를 끌어안았다. 내 가슴에 얼굴을 파묻

아......
사실 난 조금
눈치를 채고 있었어.

고는 울먹이며 말했다.

"아, 제롬. 미안해. 나는 너보다 더 바보였어. 나
역시 이런 일이 있으리라고는 생각도 못 했어."

그렇게 울고 나더니 아벨은 좀 진정한 것 같았다.
그는 다시 이야기를 시작했다.

"이제 와서 무슨 일이 있었는지 이야기한들 무슨 소용
이 있겠어? 아침에 쥘리에트와 만났어. 그녀는 오늘따라
더 밝고 아름다워 보였어. 난 그게 나 때문이라고 생각했
어. 그런데 알고 보니 나 때문이 아니라 우리가 네 이야기
를 하고 있었기 때문에 그녀가 그렇게 즐거웠던 거야. 오
로지 제롬 너 때문에."

"그럼 그 때까지는 너도 아무것도 몰랐던 거야?"

"몰랐지, 정확히는. 하지만 이제 사실을 알고 나니 모
든 것이 다 그녀가 너를 사랑하기 때문이었다는 걸 알겠
어."

"네가 잘못 알고 있는 것은 아니니?"

"잘못이라고? 아, 제롬, 쥘리에트가 널 사랑하는 걸 보

지 못한다니, 넌 장님이니!"

"그럼 알리사는?"

"알리사는 자신을 희생(犧牲)하려고 한 거야. 동생이 널 사랑한다는 걸 알고 네 옆의 자기 자리를 양보하려고 한 거야. 알겠니? 내가 쥘리에트에게 알리사가 동생보다 먼저 결혼하지 않으려고 한다고 말했는데 갑자기 쥘리에트가 무서운 얼굴을 하고 일어나더니 '그럴 줄 알았어요.'라며 중얼거리는 거야. 알리사가 그런 생각을 하고 있는 줄은 전혀 몰랐던 것처럼."

"아, 아벨. 농담이라면 제발 그만 해 줘."

"농담이냐고? 제롬, 넌 이 이야기가 재미있니? 쥘리에트는 그대로 알리사의 방으로 뛰어갔어. 큰 목소리가 들려서 나는 깜짝 놀랐지. 잠시 후, 알리사가 모자를 쓰고 방에서 나오더니 나를 어색한 눈으로 보며 '안녕하세요?'라고 하곤 그대로 가 버렸어.

그런 생각이었군. 이제 알리사의 행동이 이해가 좀 가는 것 같아.

희생(犧牲) : 남이나 어떤 일을 위하여 제 몸이나 재물 따위의 귀중한 것을 바침.

그게 다야."

"그럼 다시 쥘리에트를 보진 못했니?"

아벨은 망설이더니 대답했다.

"봤지. 알리사가 가 버린 후 나는 방문을 열었지. 쥘리
에트는 방에 앉아서 거울 속의 자기 모습을 뚫어져라 보
고 있더군. 내가 들어오는 소리를 듣더니 뒤돌아보지도
않고 '제발 날 내버려 둬요. 혼자 있게 놔 두란 말이에
요.' 라고 소리지르며 발을 구르는 거야. 얼마나 차갑게
말을 하던지 나는 잠시도 더 있지 못하고 그대로 나와 버
렸어. 그게 끝이야."

"이제 어떻게 해야 하지?"

"아, 다 말하고 나니 기분이 나아졌어. 이제? 몰라! 넌
이제 쥘리에트가 널 짝사랑하는 마음이 어서 식기를 기도
해야지. 내가 알리사를 완전히 잘못 본 게 아니라면, 내가
아는 알리사는 자기 동생이 널 사랑하는 걸 알면서도 너
랑 함께할 사람이 절대 아니니까."

우리는 아무 말도 하지 않고 오랫동안 걸었다.

"집으로 가자."

우리는 집으로 돌아왔다. 손님들은 모두 돌아가고 이모 식구들, 외삼촌 식구들, 미스 애슈브르통, 목사牧師님 그리고 우스꽝스러워 보이는 한 남자가 있었다. 그 남자가 쥘리에트에게 청혼했다는 그 포도 농장 주인이라는 걸 알 수 있었다. 그는 쥘리에트의 말대로 못생기고, 멍청해 보였다. 방이 어두웠기 때문에 사람들은 아벨과 내가 들어왔다는 것을 모르는 것 같았다.

"제롬."

아벨이 내 팔을 붙잡았다. 그리고 우리는 그 못생긴 남자가 쥘리에트에게 다가가서 그 손을 잡는 것을 보았다. 쥘리에트는 아무 저항도 하지 않았다.

"아벨, 이게 도대체 무슨 일이야?"

나는 중얼거렸다. 무슨 일인지 정말 알 수 없다는 듯이,

아이고 머리야. 모두 게 엉망진창이야. 사랑의 화살표가 뒤죽박죽이 되어 버렸네.

목사(牧師) : 개신교에서, 교회를 맡아 다스리고 신자를 인도하는 사람.

쥘리에트, 언니와 제롬 사이에서 괴로운 네 마음은 알겠지만, 이렇게 결혼하는 건 아니라고 생각해.

정말 몰랐으면 하고 바라며 계속 중얼거렸다.

아벨이 말했다.

"쥘리에트가 저 포도 농장의 주인과 약혼을 하고 있어."

알리사가 나에게 뛰어왔다.

"아, 제롬. 말도 안 돼. 쥘리에트는 저 사람을 전혀 사랑하지 않아. 오늘 아침에도 그렇게 말했는걸. 제발, 저 애를 말려 줘. 제롬. 아, 제발! 쥘리에트가 도대체 무슨 생각으로 저런 짓을 하는 거지?"

알리사는 울면서 내 어깨에 얼굴을 묻었다. 나는 정말 가슴이 찢어질 것처럼 아팠다. 그 때 갑자기 비명이 들렸다. 쥘리에트가 쓰러진 것이다.

"괜찮아요. 괜찮아."

이모가 외쳤다.

"아무것도 아니에요, 아무것도. 그냥 갑작스러운 약혼 때문에 흥분한 거예요. 이봐요. 날 좀 도와 줘요. 침대에다 눕혀야겠어요. 어서 침대로."

쥘리에트는 침대로 옮겨졌다. 나는 방문 앞에 서 있었다. 방 안에서 사람들이 뭔가 이야기하고 있었지만 잘 들리지는 않았다. 알리사가 나오더니, 이모와 둘이서 쥘리에트를 돌볼 생각이니 모두 돌아가 달라고 부탁했다.

아벨은 나와 같이 밖으로 나왔다. 우리는 아무 말도 없이 어둠 속을 오랫동안 함께 걸었다.

5장
계속되는 편지

나는 알리사만을 위해서 살아왔다. 알리사에 대한 것이
아니면 관심을 가질 수도 없었고 또 갖고 싶지도 않았다.
그녀가 아니면 살 이유가 없다고 생각했다.

다음 날 알리사를 만나러 가려는데, 이모가 알리사에게
받은 편지를 보여 주었다.

쥘리에트는 아침이 되어서야 좀 진정이 됐어요. 아무
래도 한동안 제롬이 오지 않는 게 좋을 것 같아요. 쥘리
에트가 제롬을 보거나 목소리라도 들으면, 또다시 아플
까 봐 걱정이 돼요. 쥘리에트는 지금 안정이 필요해요.

이러다 제롬이 떠나는 것도 못 볼 것 같아요. 만약 그렇게 되면, 제가 곧 제롬에게 편지를 쓰겠다고 전해 주세요.

"알겠어요. 안 갈게요."

알리사를 만나지 못한다는 건 괴로운 일이었지만, 다시 보는 것도 두려웠다.

알리사는 만날 수 없었고, 아벨은 쥘리에트를 잊기 위해 런던에 있는 친구를 만나러 간다는 편지를 써 놓고 가 버렸다. 알리사의 편지 외에는 별다른 일도, 만나는 사람도 없이 시간이 흘러갔다.

간혹 이모에게 보내 온 편지로 알리사의 소식을 들을 수 있었다. 학교에 돌아온 후에도 열흘이 지나서야 알리사는 편지를 보냈다.

그리운 제롬.

좀 더 일찍 편지를 쓰지 못한 걸 용서해 주렴. 쥘리에트가 계속 아파서 편지를 쓸 수 없었어. 고모에게 소식을 전해 달라고 말씀드렸는데, 그렇게 해 주셨으리라 믿어. 아직 안심하기는 이르지만 사흘 전부터 쥘리에트의 상태가 많이 좋아지고 있어서 다행이야.

나는 알리사의 소식消息을 조금이라도 더 듣기 위해 파리에 머물고 있던 알리사의 남동생, 로베르를 돌봐 주었다. 나는 로베르를 통해서 쥘리에트가 알리사와 단 한 마디도 하지 않고 있다는 말을 들었다.

에휴, 두 자매 사이도 썰렁하겠는걸.

얼마 지나지 않아, 이모에게서 쥘리에트에 대한 소식을 또 들을 수 있었다. 쥘리에트가 그 포도 농장 주인과의 결혼을 서두르고 있다는 것이다. 가족들이 아무리 이야기해도 고집을 부린다고 했다. 나는 공부도 기도도 하고 싶지 않았다. 시간만 계속해서 흘러갈 뿐이었다. 어느

소식(消息) : 안부 따위에 대한 기별이나 편지 따위.

'사람을 믿는 자는 불행하리라.'
저는 이 문장을 성경에서 보기 전에
아주 어렸을 때부터 알고 있었어요.
제롬이 열두 살 때 저에게 보냈던
크리스마스 카드에 써 있었거든요.

눈물 자국 봐~

날, 이모가 나에게 알리사가 보낸 편지를 보여 주었다.

고모님의 충고(忠告)대로, 테시에르 씨를 만나 봤어요. 그와 이야기해 본 결과, 고모님 말씀대로 좋은 분이라는 걸 알았어요. 무엇보다 쥘리에트를 무척 사랑하고 있고요. 쥘리에트는 그 분을 사랑하지는 않지만, 그래도 이 결혼이 제가 생각했던 것처럼 끔찍하고 불행하지는 않을 거란 믿음이 들었어요.

제롬이 로베르를 그렇게 잘 보살펴 주고 있다니 고마워요. 고모님, 절 너무 걱정하지 마세요. 전 불행하지 않아요. 오히려 행복에 가까운걸요.

쥘리에트의 일로 인해서 그 동안 그저 외우기만 했던 한 문장을 완전히 이해하게 되었어요. '사람을 믿는 자는 불행하리라.' 저는 이 문장을 성경에서 보기 전에 아

충고(忠告) : 남의 허물이나 결점 따위를 고치도록 타이름, 또는 그 말.

주 어렸을 때부터 알고 있었어요. 제롬이 열두 살 때 저
에게 보냈던 크리마스 카드에 써 있었거든요.

세상의 그 무엇이

나를 주님께 이끄는가

사람을 믿고

사람을 위해 사는 자는 불행하다!

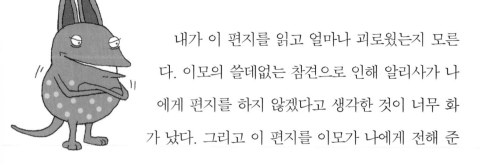

이게 무슨 소리야?
제롬을 믿지 않겠다는
말이야, 사람과는 거리를
두고 하나님만
섬기겠다는 거야?

고모와 이야기를 하고 생각해 봤어요. 그
리고 이젠 제롬에게 예전처럼 긴 편지를 쓰
지 않기로 결정했어요.
제롬의 공부를 방해하고 싶지 않아요.

내가 이 편지를 읽고 얼마나 괴로웠는지 모른
다. 이모의 쓸데없는 참견으로 인해 알리사가 나
에게 편지를 하지 않겠다고 생각한 것이 너무 화
가 났다. 그리고 이 편지를 이모가 나에게 전해 준

것도 화가 났다.

"그러지 마, 친구. 알리사가 너한테 편지를 보내지 않고 이모님한테 보냈다는 거 외에는 화날 일이 뭐가 있어."

아벨은 괴로워하는 나에게 그렇게 말했다.

"그리고 이 편지를 잘 읽어 봐, 이건 이모님한테 쓰긴 했지만 너한테 쓴 편지나 다름없어. 이모님한테 뭣 하러 이런 멋진 문장들을 쓰겠어? 알리사는 이모님에게 편지를 쓴 게 아니라, 너에게 쓴 거라고. 넌 그저 그녀의 남동생, 로베르를 잘 챙겨 주면서 그녀가 너에게 자연스럽게 다시 길고 정다운 편지를 쓰도록 만들면 되는 거야."

나는 아벨의 말대로 했다. 그러자 정말로 점점 알리사의 편지가 길어지고 내용도 밝아졌다. 쥘리에트 역시 상태가 좋아지고 있고, 7월에 결혼을 할 거라고 했다. 그 때쯤이면 공부하느라 바쁠 테니 결혼식에 오지 않아도 괜찮다고 썼다. 결혼식에 오지 않기를 바란다는 걸 알 수 있었다. 그

성경은 기독교의 가르침을 적어 놓은 책인데, 알리사와 제롬은 어릴 때부터 열심히 성경을 봤나 봐.

래서 시험이 있다고 말하고 축하 편지로 대신했다.

쥘리에트의 결혼식이 끝나고 또 편지가 왔다.

그리운 나의 제롬.

신혼 여행 중인 쥘리에트 부부에게 오는 소식들은 모두 즐거운 일들뿐이야. 더운 날씨에도 신혼 여행은 무척 즐거운가 봐. 네가 시험에 합격^{合格}했다는 소식은 너무도 당연한 일이라 축하한다고 말하기도 그렇지 않니? 나는 너를 믿고 있으니까. 아, 제롬. 너에 대한 생각만 해도 내 가슴이 부풀어오르는 것 같아. 전에 말했던 일을 이제 다시 이야기할 수 있을까?

이 곳은 하나도 변하지 않았지만, 텅 빈 느낌이야. 네가 지금 이 곳을 본다면 왜 올해는 여기 오지 않기를 부탁했는지 잘 알 수 있을 거야. 이렇게 오랫동안 너를 만나지 못하다니! 나는 때때로 너무 괴롭고 네가 보고 싶

합격(合格) : 채용이나 자격 시험 따위에 붙음.

어. 책을 읽다가도 고개를 돌려 너를 찾곤 해. 꼭 네가
이 집 어딘가에 있을 것 같아서.

내가 얼마나 기뻐하며 흥분해서 알리사의 편지를 읽었
는지 상상도 못할 것이다.

알리사는 계속 편지를 보냈다. 알리사는 내가 외삼촌
댁을 방문하지 않은 것에 대해 고맙다며 당분간 계속 오
지도 말고 자신을 만나려고 노력하지도 않기를 부탁했다.
하지만 느낄 수 있었다. 알리사가 나를 그리워
하고 있다는 것을.

와아~ 알리사가 제롬을
그리워한다고 말하고 있어.
차갑게 얼었던 알리사의 마음이
녹고 있는 느낌이야.

나의 제롬.
네가 여행하면서 각 도시에서 보내 준 편지들
이 도착하고 있어. 내 마음 역시 너와 함께 여행하
고 있는 기분이야. 아니, 난 정말 너와 함께 그 곳
들을 돌아다니고 있어. 너와 함께 길을 걷고 아침
이면 너와 함께 새로운 도시로 길을 떠나고, 새로운

곳에 도착하여 새로운 것들을 보고. 쥘리에트에게 오는 편지들도 모두 즐거운 소식들뿐이야. 이제는 나도 행복할 수 있도록 하나님이 허락해 주시는 것 같아. 지금 유일한 걱정은 오직 아버지의 건강이야.

할 말이 무척 많아. 끊임없이 너와 이야기하고 싶다.

어떻게 알리사와 내가 몇 달이나 말없이 지낼 수 있었을까? 알리사를 되찾자 내 삶은 다시 아름답게 빛났다.

9월 12일

피사에서 보낸 네 편지는 잘 받았어. 하지만, 나를 며칠이라도 보겠다고 여행을 빨리 끝내는 일은 하지 않았으면 좋겠어. 오랫동안 생각해 보았지만, 역시 아직은 우리가 만나지 않는 것이 좋을 것 같아. 이런 말을 들으면 네가 괴로워하겠지만, 날 믿어 줘. 제롬, 네가 지금 내 곁에 있다 해도 지금보다 우리가 더 가까이 느껴질

순 없을 거야. 솔직히 말하면, 네가 만약 당장이라도 이 곳으로 온다면 난 어디 먼 곳으로 도망갈 거야. 아, 왜냐고 묻지 말아 줘. 중요한 건 내가 너를 끊임없이 생각하고, 지금 이대로도 행복하다는 거야.

이 편지를 마지막으로 내 여행은 끝났고 나는 군대에 가야 했다. 알리사의 편지만이 군대에서 나의 유일한 기쁨이었다.

알리사를 못 만난 지, 1년이 넘어가고 있었다. 나는 괴로웠지만 알리사는 그렇게 보이지 않았고, 오히려 만남의 기다림은 이제부터 시작되는 거라고 믿는 것 같았다. 나는 그런 알리사에게 화가 나 편지를 썼다. 알리사에게서 답장이 왔다.

가만가만, 알리사는 제롬이 좋은 거야? 제롬을 기다리는 마음이 좋은 거야?

제롬, 네가 여러 도시를 여행할 때도 우리는 항상 함께였어. 난 단 하루도 네 곁을 떠난 적이 없는 거야. 그걸 모르고 네가 우리의 지금 상태를 그냥 이별이라고 부

르다니 가슴이 아파. 네가 군복을 입고 있는 모습이 상

상이 잘 안 가.

1년이란 지나간 시간을 세지 마.

제롬, 너에 대한 믿음이 없었다면 나는 어떻게 됐을

까. 제발, 제롬. 약해지지 마.

시간이 흘러갔다. 나의 마음은 오로지 알리사를 만날

생각과 과거의 알리사와의 추억追憶들로만 차 있었기 때

문에, 긴 시간이 흐르고 있다는 느낌은 들지 않았다.

알리사는 쥘리에트가 아기 낳는 것을 도우러 외삼촌과

함께 쥘리에트가 사는 님으로 떠났다. 알리사에게서 다시

편지가 왔다.

쥘리에트는 점점 나아지고 있어. 우리는 아기가 오늘

이나 내일이나 나올까 하고 모두 기다리는 중이야. 우리

추억(追憶) : 지나간 일을 돌이켜 생각함.

쥘리에트의 아기는 엄마를 닮아 명랑할까?

가 이 곳에 도착하자마자 쥘리에트가 내게 물어 봤어.

"제롬하고는 어떻게 지내? 여전히 편지를 주고받아?"

내가 그렇다고 대답했더니, 그 애가 미소지으며 이렇게 말했어.

"다음 번에 제롬에게 편지할 때 이 말을 꼭 전해 줘. 난 이제 다 괜찮아졌다고."

쥘리에트의 편지들이 항상 즐거움으로 가득 차 있었음에도 난 혹시나 그 애가 행복한 척하고 있는 건 아닌가 걱정했는데, 정말 행복해 보여서 다행이야.

쥘리에트가 행복한 걸 보면 내 마음도 행복해야 할 텐데, 어쩐지 내 마음은 무척 우울해.

이 곳에 온 후부터는 기도도 잘 되지 않고, 어떤 아름다운 것들도 나를 슬프게 할 뿐이야. 이 편지 역시 우체부가 오늘 저녁에 가지러 오지 않는다면 찢어 버리고 싶은 마음이야.

알리사가 다음 번에 보낸 편지에는 그녀의 우울과 슬픔에 대한 이야기는 쓰여 있지 않고, 오로지 쥘리에트가 낳은 아이에 대한 기쁨만이 쓰여 있었다.

알리사는 쥘리에트를 떠나 집으로 돌아왔고, 다시 편지를 썼다. 하지만 알리사의 편지들은 점점 고통스러운 이야기들로 뒤덮여 갔다. 여름이 끝날 때쯤, 알리사는 다시 편지를 썼다.

네가 내 걱정을 할까 두려워서 내가 얼마나 널 그리워하고 있는지 말하지 못했어. 너를 만나지 못하는 하루하루가 너무도 괴로워. 너와 떨어져 있는 지금 이 시간들이 내 인생에서 가장 길고 고통(苦痛)스러운 시간들로 느껴져. 이제 책을 읽는 것도, 산책을 하는 것도 재미가 없고 정원도 더 이상 아름답게 느껴지지 않아.

고통(苦痛) : 몸이나 마음이 괴롭고 아픔.

얼마 전부터 몸이 좋지 않아. 아마도 너를 너무도 그리워하며 기다린 탓인 것 같아. 하지만 크게 아픈 것은 아니니까 걱정하지 마.

그리고 6주가 흘렀다.

아, 제롬. 이게 마지막 편지가 되겠지. 네가 올 날이 아직 확실하지는 않다고 하지만 많이 늦어지지는 않겠지? 그러니까 이게 마지막 편지가 될 거야.

너와 만날 날이 가까워 올수록 어쩐지 마음이 점점 무거워져서 두려울 정도야. 그토록 애타게 기다리던 너와의 만남인데, 왜 이렇게 두려운 걸까? 네가 누르는 초인종 소리가 들리고, 계단을 올라오는 너의 발소리가 들리고, 그런 상상을 할 때마다 내 가슴이 터질 것 같아. 그러고 나서는 아무것도 보이지 않아. 마치 모든 게 끝난 것처럼.

그로부터 나흘 후, 제대를 1주일 남겨 놓고 편지를 한 통 받았다.

제롬, 네가 우리가 다시 만나는 시간을 억지로 늘리지 않겠다는 것에 나도 찬성해. 우리가 그 동안 나누었던 편지에 모든 이야기들이 써 있는데 무엇이 더 필요하겠어? 그러니 학교나 모든 일에 무리가 없게 떠나도록 해. 우리가 이틀밖에 함께하지 못한다고 너무 슬퍼하지 마. 우리 앞에는 영원이란 시간이 남아 있으니까.

6장
어색한 만남

알리사와 나는 블랑티에 이모 댁에서 다시 만났다. 처음에 나는 그녀를 제대로 바라보지도 못했다. 더구나 사람들이 우리를 억지로 둘만 남겨 두려고 애썼기 때문에 우리는 점점 더 불편해졌다. 마침내, 이모마저 자리를 뜨려고 하자 알리사는 소리치고 말았다.

"고모, 제발 자리를 피하지 마세요. 우리 둘만이 나눌 비밀 이야기 같은 건 없어요."

"아니야. 애들아, 난 너희들의 관계를 아주 잘 알고 있는걸. 그렇게 오랫동안 떨어져 있었으니, 둘만이 하고 싶은 이야기가 많이 있을 거야."

"제발 부탁이에요. 고모. 나가지 마세요. 고모마저 나가 버리시면 저희는 더 어색語塞해질 뿐이에요."

알리사는 이제 화가 난 것 같았다.

"맞아요. 이모, 만약 이모마저 나가 버리시면 저희는 정말 단 한 마디도 하지 않을 거예요."

나 또한 둘만 남는 것이 두려웠다. 나는 알리사를 만나기 위해, 식사 시간 전에 다시 찾아갔었다. 하지만 알리사는 어떤 여자 친구와 함께 있었기 때문에 우리는 둘만의 시간을 가질 수 없었다.

점심 식사 후, 블랑티에 이모가 마차로 우리를 데리러 와서는 산책길에 내려 주었다.

날은 무척 더웠고 우리는 무슨 말을 해야 할지 모른 채 그냥 걷고 있었다. 머릿속이 복잡하여 아무 생각도 할 수 없었다. 나는 아무렇지 않은 척하기 위해 알리사의 손을 잡고 걸었다. 우리는 빠르게 걷느라 점점 숨이 찼고 얼굴

어색(語塞) : 서먹서먹함.

도 빨개졌다. 알리사의 얼굴 역시 빨갛게 달아올라 있었
다. 우리의 손은 땀에 젖어 버렸고, 땀에 젖은 손을 잡고
있는 것이 어색해져서 결국 손을 놓아 버리고 말았다.

　워낙 빨리 걸었기 때문에, 우리에게 둘만의 시간을 주
려고 이모가 천천히 마차를 몰아서 돌아오기도 훨씬 전에
약속 장소에 도착하고 말았다. 이모는 그 참을 수 없는 수
다를 늘어놓기 시작했고, 급기야 또 우리의 약혼 이야기
를 꺼내고 말았다. 알리사의 눈에는 눈물마저 고인 것 같
았다. 우리는 아무 말도 하지 않고 집으로 돌아왔다.

　다음 날, 온몸이 아프고 괴로웠지만 다시 알리사를 찾
아갔다. 하지만 알리사는 조카 마들렌과 함께 있었다. 우
리는 결국 둘만의 시간은 보내지 못한 채, 셋이서 산책을
하고 작별 인사를 했다.

　그 날 저녁, 내일이면 이 곳을 떠나야 한다는 초조함 때
문에 나는 다시 알리사를 찾아 외삼촌 댁으로 달려갔다.
하지만 알리사는 이미 방으로 올라가고 없었다. 알리사는
몸이 안 좋아서 일찍 자리에 누웠다고 했다.

결국 난 알리사와의 서먹한 만남을 뒤로 한 채, 파리로 와야 했다. 곧바로 알리사에게서 편지가 왔다.

편지로만 그러지 말고, 만나서 이야기를 하란 말이야. 대화로 해결되지 않는 일은 없는 법!

제롬, 우리의 만남이 얼마나 어색하고 슬펐는지 몰라. 나는 이제 우리의 만남이 앞으로 계속 이러할 것이라는 생각이 들었어. 아, 제롬. 우리 제발 다시는 만나지 말자.

우리의 만남은 왜 그렇게 어색했을까? 서로 할 말이 많았음에도 우리는 왜 아무 말도 하지 못했을까? 우리가 둘이 함께하려고 할 때마다 계속해서 무언가 어긋나기만 한 것이 너무 가슴 아파.

네가 떠나던 날, 너에게 작별의 편지라도 쓰려고 했지만 그럴 수 없었어. 우리가 서로 편지를 주고받았던 것이 아무것도 아니란 것을 깨달았어. 우리는 서로에게 편지를 쓴 게 아니라 자기 자신에게 편지를 썼던 거야.

나는 쓰던 편지를 찢어 버리고 다시 편지를 쓰고 있

어. 내가 너를 사랑하지 않는 것은 아니야. 예전처럼 널 사랑하고 있어. 오히려, 널 정말 깊이 사랑한다는 걸 느끼고 있어. 하지만 내가 오래 전부터 두려워했던 문제가 우리의 이 어색한 만남으로 확실해지고 말았어.

잘 있어, 제롬. 내가 사랑하는 제롬. 주님이 널 끝까지 지켜 주시기를. 사람은 오직 주님 곁으로만 가까이 다가갈 수 있을 뿐이야.

이것만으로는 나를 충분히 괴롭힐 수 없다고 생각했는지, 그녀는 다음과 같은 글을 덧붙였다.

우리 둘의 문제에 대해서 네가 좀더 조심해 주었으면 하는 부탁과 함께 이 편지를 보내.

네가 나와의 일들을 쥘리에트나 아벨에게 조심성 없이 이야기할 때마다 내 마음이 아팠던 적이 한두 번이 아니니까. 너의 그런 모습 때문에, 난 오래 전부터 네가 나를 진심으로 사랑하는 것이 아니라 단지 머릿속으로

만 사랑한다고 생각했고, 사랑과 믿음이란 것에 대한 욕심에 지나지 않다고 느끼고 있었어.

이 편지를 받고 사흘 동안, 나는 아무것도 하지 못했다. 답장을 쓰고 싶었지만 도저히 어떻게 써야 할지 알 수가 없었다. 상황을 더 나쁘게 만들지 않을까 두려울 뿐이었다. 내가 몇 번이나 고치고 고쳐서 알리사에게 편지를 보냈다.

알리사! 아, 제발. 나를, 그리고 네 자신을 불쌍히 여기길 바란다. 네 편지는 정말 나를 괴롭게 만들었어. 너의 이런 잔인한 말들을 그냥 웃어넘길 수 있다면 얼마나 좋을까. 하지만 그럴 수가 없었어. 나도 우리의 만남에서 그런 부분을 느꼈으니까.
제발 사랑이 변했다는 말은 하지 말자. 내가 머릿속으로만 사랑한다고 생각했다니. 도대체 네게 어떻게 말해야 할까. 나는 이렇게 온 마음으로 널 사랑하고 있는데.

편지가 널 힘들게 한다면, 당분간 편지는 하지 말자.

여기에 이어, 나는 알리사에게 제발 생각을 돌릴 것과 그 때의 만남은 우리의 문제가 아니라 모든 상황들이 좋지 않았기 때문이라고 변명했다. 그리고 다음 부활절復活節 방학 때에 잠시만이라도 나를 다시 만나 달라고 부탁했다.

나는 다음에 알리사를 만날 때는 모든 것을 확실히 준비해 갈 생각이었다. 이 생각은 무척 강하게 날 잡아 줘서 나는 편지를 보내자마자 다시 열심히 공부할 수 있었다.

하지만, 부활절이 오기 전에 우리는 다시 만날 수밖에 없었다. 미스 애슈브르통이 돌아가셨기 때문이다.

장례식에서도 무덤까지 가는 길에도 알리사와 나는 간

부활절(復活節) : 예수의 부활을 기념하는 축제일.

신히 몇 마디 말만을 했을 뿐이다. 우리가 작별할 순간이 다가오자 알리사가 나를 다정하게 쳐다보며 말했다.

"잘 있어. 잘 알고 있지? 부활절이 오기 전까지는."

"알아. 하지만 부활절에는 만나 줄 거지?"

"기다릴게."

제롱의 가정교사였고
어머니의 오랜 친구이기도 한
미스 애슈브르통,
편안히 잠들어요. 흑흑.

7장
점점 멀어지는 두 사람

"제롬, 알리사가 정원에서 널 기다리고 있다."

외삼촌 댁에 도착하자마자 외삼촌이 말씀하셨다. 알리사가 나를 마중 나오지 않아 실망했지만, 어색한 첫인사를 나누지 않아도 되는 것은 다행이었다.

알리사는 정원 안쪽 깊은 곳에 있었다. 꽃들이 활짝 핀 길을 따라 그녀를 찾아갔다. 알리사에게 다가가자, 알리사는 다정하게 나를 돌아보았다.

"알리사, 방학은 십이 일 뿐이야. 하지만 네가 원한다면 오늘이라도 바로 네 곁을 떠날게."

알리사는 조심스럽게 입을 열었다.

"내가 만약 저녁 식사 때 십자가 목걸이를 걸지 않았으면, 그걸 신호로 알고 떠나 줘."

"그래. 슬픈 작별 인사도, 눈물도 없이 떠날게. 네가 십자가 목걸이를 하고 있지 않으면, 평소와 똑같이 저녁을 먹고 아무렇지 않게 떠날게. 아무도 눈치채지 못하게, 내가 떠난 걸 알고 다들 깜짝 놀랄 정도로. 다음 날, 네가 나를 찾으면 난 이미 없을 거야."

"난 널 찾지 않을 거야."

"하지만, 그 때까지는 즐겁게 보내자."

"너도 내가 작별을 고하더라도 흔들려선 안 돼."

다시 어색함이 몰려왔다.

"우리가 함께 보낼 며칠은, 예전처럼 즐거웠으면 좋겠다. 너무 이야기만 하려고 애쓰지 않고 말이야."

알리사가 웃으며 말했다.

"그럼, 우리가 같이 할 만한 다른 일이 있을까?"

두근두근!
저녁 식사 시간이 되기까지
제롬의 가슴은 얼마나
떨릴까?

우리는 같이 정원을 손질했다. 시든 가지들을 잘라 내고 꽃과 나무들이 다시 살아나는 것들을 볼 때면 가슴이 벅차왔다. 우리는 다시 예전처럼 즐거운 시간을 보낼 수 있었고 너무도 행복했다. 저녁마다 나는 알리사의 가슴에 빛나는 십자가 목걸이를 보며 희망에 부풀어올랐다. 그리고 그것은 점점 나에게 용기를 주었고, 나는 결국 그 일에 대해 입을 열었다.

"알리사, 쥘리에트도 행복해졌으니까 이제 우리도 같이 행복해져도……."

내가 말을 꺼내자 알리사의 얼굴이 하얗게 변했다. 나는 도저히 더 말할 수 없었다.

"제롬!"

알리사는 나에게서 고개를 돌린 채 말했다.

"난 정말 큰 행복을 느끼고 있어. 더 이상 행복할 수 없을 만큼. 그런데 난 우리가 행복을 위해서 태어났다고는 생각하지 않아."

"그러면 우리가 무엇을 위해 산다는 거야?"

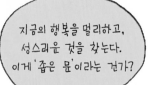

지금의 행복을 멀리하고, 성스러운 것을 찾는다. 이게 '좁은 문'이라는 건가?

　　　나는 외쳤다. 알리사는 다음과 같이 중얼
거렸다.

"좀더 성스러운 것을 위해서."

나는 울먹이며 알리사에게 말했다.

　"난 너 없이 그 곳에 이를 수 없어."

　　나는 마치 어린아이처럼 알리사의 무릎에 얼
굴을 묻고 울었다.

"알리사, 제발. 너 없이는 안 돼, 너 없이는."

　　저녁 식사 때, 알리사는 십자가 목걸이를 하지 않았다.
나는 알리사와의 약속을 지키기 위해 다음 날, 아침 일찍
별장을 떠났다. 며칠 뒤 알리사에게서 다음과 같은 편지
를 받았다.

　　제롬. 다음 날 아침, 나도 모르게 너를 찾았어. 우리의
약속을 지킨 네가 미웠지만 또 한편으로는 고마웠어.

　　너와 함께한 시간 동안 나는 나를 채우는 커다란 만족

감에 놀라고 행복했어. 하지만 곧 너무 불안해졌어. '더 이상 아무것도 필요하지 않은 만족감'이라고 너는 말했지만 나는 그것이 너무 두려웠어.

"만족하지 못한다면 그것은 행복이 아니야."라고 네가 말했었지? 그 때 나는 너에게 뭐라고 말을 해야 할지 몰랐어. 하지만 이제 알아. 제롬, 그렇지 않아. 절대로 그런 것들은 우리를 완벽하게 만족시켜 줄 수 없어. 만족해서는 안 되는 거야. 우리가 느꼈던 그 만족감^{滿足感} 뒤에 어떤 슬픔과 어둠이 들어 있다는 것을 느끼지 못했니?

진실한 행복이란, 오직 주님 안에서만 가능한 거야. 우리는 인간의 행복이 아니라 그런 행복을 위해서 태어난 거야. 잘 있으렴, 내가 사랑하는 제롬. 아, 내가 널 얼마나 사랑하고 있는지 너도 알고 있을까.

으으~ 답답해.
내가 제롬이라면 주님을
미워하고 말 거야.

만족감(滿足感) : 마음에 흡족한 느낌. 흐뭇한 느낌.

언제까지고 나는 너의 알리사야.

나는 왜 눈치를 채지 못했을까. 겨우 찾은 행복에서 알리사가 도망갈 것이라고는 생각하지 못했다. 나는 긴 답장을 써서 보냈지만 지금은 몇 문장만 기억날 뿐이다.

너에 대한 사랑만이 내게는 가장 값진 것이야. 내 모든 덕도 너의 사랑에 달려 있고, 사랑이야말로 나를 신에게 이끄는 힘이야. 만약 나에게 너에 대한 사랑이 없었다면, 나는 그냥 평범한 사람에 불과했을 거야. 너와 다시 만날 날이 있기에, 난 어떤 고통도 이겨 낼 수 있어.

알리사는 다음과 같은 답장을 보냈다.

하지만 제롬. 성스러운 길을 가는 것은 선택이 아니라 우리의 의무야. (알리사는 이 의무란 말에 밑줄을 세 번이나 쳤다.) 만약 네가 내가 믿고 생각해 왔던 그 사람이 맞다면, 너 역시 그 의무를 피하지 않을 거야.

이것이 다였다. 우리의 편지는 이걸로 끝이 났다. 알리사의 강한 결심은 이제 나로서는 어떻게 할 수 없다는 것을 알 수 있었다. 하지만, 나는 계속해서 알리사에게 사랑을 담은 긴 편지를 써 보냈고, 내가 세 번째 편지便紙를 보냈을 때에야 알리사에게서 답장이 왔다.

나의 친구 제롬.
내가 다시는 너에게 편지를 쓰지 않을 거라고는 생각하지 말아 줘. 다만 지금은 별로 편지를 쓰고 싶지 않을 뿐이야.
이제 당분간 편지는 보내지 말아 줘. 대신 이번 여름을 우리 집에서 보내도록 해. 내 부탁을 받아들인다면 답장하지 말아 줘. 그걸 대답으로 생각할게.

편지(便紙) : 상대편에게 전하고 싶은 일 등을 적어 보내는 글.

나는 답장하지 않았다. 그것은 알리사가 내게 준 최후의 시험이었다. 그리고 다시 그녀의 집을 찾았을 때 나는 어느 정도 평화를 되찾고 있었다.

다시 여름이 왔고 나는 외삼촌 댁으로 갔다. 저녁 때, 집으로 들어서자 피아노가 없어졌다는 걸 알 수 있었다. 내가 깜짝 놀라 묻자 알리사는 아무렇지 않게 대답했다.

"피아노는 고장났어."

외삼촌은 조금 화가 나서 말했다.

"거 봐라. 제롬이 실망하잖아. 제롬이 온 후에 피아노를 고치러 보내도 됐을 텐데. 그 때문에 우리는 큰 기쁨을 잃었잖니."

알리사는 빨갛게 달아오른 얼굴을 감추며 말했다.

"이제 너무 낡아서 그대로 두었다고 해도 제롬이 피아노를 칠 수는 없었을 거예요."

외삼촌은 다시 말을 이었다.

"그렇게 나빠 보이지는 않던데."

에이 참, 피아노가 무슨 잘못이 있다고.

다음 날이 되었지만, 알리사의 검소한 옷차림이나 머리 모양은 전혀 변하지 않았다. 그녀는 전날 하던 대로 계속해서 바느질만을 하였다. 얼마나 일에 몰두^{沒頭}해 있는지, 알리사의 눈에는 예전과 같은 빛이 사라지고 없었다.

"알리사."

"왜?"

"내 말이 들리는지 확인해 보고 싶어서. 네가 마치 먼 곳에 가 있는 것 같아."

"난 여기 있잖아. 단지 바느질하는 데 집중하고 있는 것 뿐이야."

"내가 책이라도 읽어 줄까?"

"아니. 바느질 때문에 잘 들을 수 없을 거야."

"이런 일은 가난한 여인들이 하는 일인데, 왜 그렇게 열심히 하고 있는 거니?"

몰두(沒頭) : 한 가지 일에만 온 정신을 기울임.

알리사는 이보다 더 즐거운 일은 없다고 부드럽게 미소지으며 말했다. 나는 어쩐지 슬퍼졌다.

알리사야, 알리사야. 차라리 아름다운 미소를 보이지 말아 줘.

다음 날 아침, 나는 내가 이탈리아를 여행하면서 알리사에게 사다 준 그림들이 그녀의 방에서 없어진 것을 알았다. 어떻게 된 거냐고 물으려고 고개를 돌리는 순간, 책장이 눈에 들어왔다. 책장에는 예전에 있던 책들은 모두 없어지고 재미없는 종교 서적들만이 자리를 채우고 있었다. 눈을 들어 보니 알리사가 웃으며 나를 보고 있었다.

"미안해, 제롬."

"알리사. 이게 네가 요즘 읽고 있는 책들이니?"

"응. 왜 그렇게 놀라?"

"어떻게 저런 책들만 읽을 수 있단 말이야?"

"난 네가 왜 그렇게 놀라고, 왜 그런 소리를 나한테 하는지 모르겠어. 이 책들이야말로 진실을 이야기하고 있

알리사가 너무 종교에 깊이 빠진 것 같아. 후후, 그거 위험하다던데.

어. 다른 책들은 모두 꾸며진 거짓일 뿐이야."

"알리사."

나는 소리쳤다.

"도대체 넌 무슨 짓을 하고 있는 거야."

그 때 식사를 알리는 소리가 들렸다.

"식사 시간이니 그만 가자."

알리사는 아무것도 아닌 일에 대해 말한 것처럼, '다음에 이야기하자' 라고 가볍게 말하고 나가 버렸다.

하지만 우리가 그 이야기를 다시 할 시간은 없었다. 알리사는 일부러 나를 피하기 위해서인지 무척 바빴다. 집안일을 하고 농민들을 만나고, 또 가난한 사람들을 만나고, 나와의 시간은 아무리 기다려도 겨우 잠깐만 허락될 뿐이었다.

알리사와 행복한 시간을 보내리라고 그렇게 기다려 왔던 시간들은, 이렇게 끝나 버리고 말았다. 내가 떠나기 이틀 전쯤, 난 알리사와 시간을 보낼 수 있었다. 우리는 의자에 앉아 이야기를 나누었다.

알리사가 갑자기 말을 시작했다.

"제롬, 넌 지금 내가 아니라 어떤 환상幻想을 사랑하고 있어."

"아니야. 환상이 아니야. 알리사."

"상상 속에 네가 꿈꾸는 어떤 사람을 사랑하고 있어."

"그렇지 않아. 알리사는 바로 여기에 있고, 나는 너를 사랑해. 알리사. 예전의 너는 도대체 어디로 가 버린 거니? 도대체 무슨 일이 일어난 거야?"

"제롬, 이제 날 사랑하지 않는다고 솔직하게 말해."

"난 너를 사랑해."

"사랑한다고?"

알리사는 살짝 웃으며 말했다.

"제롬, 네가 사랑한다고 이야기하는 알리사는 이제 없어. 네 기억 속에만 있을 뿐이야. 시간이 지나면 기억 속에서도 사라지고 말 거야."

환상(幻想) : 현실로는 있을 수 없는 일을 있는 것처럼 상상하는 일.

"아니야. 알리사. 내 마음은 그대로야."

나는 도저히 어떻게 해야 할지 몰랐다.

이틀 후, 나는 그 곳을 떠났다.

모든 힘과 사랑을 다 써 버린 것 같은 느낌

이었다. 그녀의 말이 옳았던 것일까? 나는 정말로

알리사를 사랑한 것이 아니라, 내가 상상해 낸 어

떤 환상을 사랑한다고 믿은 걸까? 그렇게 고민하

던 중에, 그리스에 있는 학교에서 입학하라는 연락

을 받았고 나는 도망치듯이 그 학교에 입학했다.

유럽 남동부에 있는 그리스는 신비로운 신화를 많이 갖고 있는 나라야. 제롬, 그런데 그리스로 떠나면 알리사와는 어떡하려고 그래?

8장
제롬과 알리사의 마지막 만남

그 일이 있은 후, 3년이 지난 어느 날이었다. 나는 그전에 외삼촌의 죽음을 알게 되었고 알리사에게 긴 편지를 보냈지만 답장은 받지 못했다.

무슨 핑계로 외삼촌의 별장에 갔는지는 기억나지 않는다. 나는 아무 연락도 없이 그 곳에 갔다. 그리고 그 집 앞까지 가서도 계속 고민했다. 들어갈까? 말까? 들어갈까? 알리사를 만나면 어떻게 하지? 이대로 돌아갈까? 그래, 그냥 산책길만 걸어보고 돌아가자. 나는 혹시나 그녀를 만나지 않을까 하는 생각에 계속 가슴이 두근거렸다. 그리고 나는

이제 알리사 곁엔 아무도 남지 않았어.

정원으로 들어갔다.

그 때 누군가의 발소리가 들렸다. 나는 놀라서 몸을 숨겼다. 그 소리가 알리사라는 것을 금방 알 수 있었다.

"제롬, 혹시 너니?

나는 심장이 멈추는 것 같았다. 숨을 쉴 수도 없었다.

"제롬! 맞구나. 너지?"

나는 아무 말도 할 수가 없었다. 알리사가 다가왔다.

"왜 거기 숨어 있어?"

우리가 떨어져 있던 3년 동안의 시간이 그저 한 사흘쯤 되는 것처럼 그녀는 놀라지도 않고 아무렇지 않게 나에게 말을 걸었다.

"나인 줄 어떻게 알았니?"

"널 기다리고 있었으니까."

"날?"

나는 알리사의 말에 너무도 놀랐다.

"이리 와 앉아. 나는 우리가 다시 한 번은 만나게 되리란 걸 알고 있었어. 사흘 전부터 매일 여기 나와서 널 기

알리사의 얼굴이 창백해 보여. 에구, 너무 생각이 많으니까 몸이 축나는 거야.

다리고 있었는걸."

"알리사, 난 네가 그렇게 갑자기 나오지 않았다면 널 만나지 않고 그냥 갔을 거야."

"사흘 전부터 내가 여기서 뭘 했는지 좀 볼래?"

알리사가 내게 보여 준 것은 내가 보낸 편지들이었다. 알리사는 무척 아파 보였다.

우리는 의자에 앉아 이야기를 나누었다. 나는 되도록 아무렇지 않게 말하려고 노력했지만 가슴이 떨려서 잘 되지 않았다.

어느덧 해가 지고 있었다. 알리사는 뭔가를 꺼내어 나에게 내밀었다.

"제롬, 십자가 목걸이야. 널 만나면 주려고 계속 가지고 다녔어."

"왜?"

나는 차갑게 말했다.

"네 딸에게 전해 줘."

"딸?"

"제롬, 화내지 말고 내 말을 그냥 들어줘. 너도 언제고 결혼을 하고 딸이 생길 거 아니니? 아무 말도 하지 마. 내가 원하는 건 단지 내가 너를 정말로 사랑했다는 걸 네가 기억해 주었으면 하는 것뿐이야. 그래서 오래 전부터 난 생각해 왔어. 네가 딸을 낳으면 나를 기억하면서, 네가 좋아했던 이 십자가 목걸이를 그 애에게 주었으면 좋겠다고 말이야. 그리고 그 애에게 알리사라는 이름을 붙여 줄 수 있다면 좋겠다고 생각했어."

나는 화가 나서 소리쳤다.

"알리사. 네가 직접 전해 주지 그래? 내가 도대체 너 아닌 누구와 결혼을 한단 말이야? 난 너밖에 사랑하지 못한다는 걸 잘 알고 있잖아?"

나는 그녀를 꼭 끌어안고 입을 맞추었다.

"제롬, 부탁이야. 우리의 사랑을 망가뜨리지 말아 줘."

나는 알리사 앞에 무릎을 꿇었다.

"아, 제발 알리사. 날 그렇게 사랑하면서 도대체 왜 이러는 거야? 난 계속 너만을 기다려 왔어. 쥘리에트도 예전에 결혼을 해서 이제 행복하고, 외삼촌도 이제 안 계시잖아. 이제 우리 둘뿐이야."

"아니야, 제롬. 이제 늦었어. 다 끝났어. 우리가 사랑보다 더 크고 성스러운 것을 보게 됐을 때, 우리 사이는 이미 끝난 거야. 제롬, 너에 대한 사랑으로 난 인간적인 만족감을 넘어서서 더 큰 것을 바라게 되었어."

"우리가 서로의 곁에 없다면 어떨 것 같아? 그건 너무도 고통스러워."

"제롬, 그걸 기억하니? 하나님은 우리에게 더 좋은 것을 준비해 두셨다는 말 말이야."

"알리사, 넌 아직도 그 말을 믿니?"

"믿어야 해."

우리는 아무 말도 하지 않고 걸었다.

"그걸 생각해 봐, 제롬. 더 좋은 것. 더 좋은 것."

알리사는 그 말을 하며 울먹이기 시작했다. 그리고 몸을 돌려 말했다.

"잘 가, 나의 친구 제롬. 더 좋은 것은 지금부터야."

알리사는 그렇게 가 버렸다.

그럼,
끄, 끝난 거야?

나는 너무도 괴로웠기 때문에 쥘리에트에게 약해진 알리사에 대한 걱정과 함께 이 일에 대해 편지를 썼다. 한 달쯤 지나, 쥘리에트에게서 편지가 왔다.

그리운 제롬.

너무도 슬픈 소식을 전해야겠어. 우리의 사랑스러운 알리사가 이 세상을 떠났어. 오빠가 했던 걱정들은 모두 사실이었어. 알리사는 어디가 딱히 아픈 것도 아닌데 계속 앓고 있었어. 나하고 의사에게 검사檢査를 받겠다고 약속했었는데. 제롬을 만난 지 사흘 만에 갑자기 집을

검사(檢查) : 옳고 그름, 좋고 나쁨 따위의 사실을 살피어 검토하거나 조사하여 판정함, 또는 그런 일.

나가 버렸어. 로베르가 알리사를 찾아 헤매었지만 찾을 수가 없었어. 그러다가 겨우 알리사가 쉬고 있다는 요양원을 찾아 냈어.

영영영
알리사~!

하지만 너무 늦었던 거야. 로베르가 도착했을 때는 알리사가 이미 숨을 거두고 만 후였어.

아, 제롬. 이 편지가 얼마나 널 슬프게 할지 잘 알고 있어. 나도 지금 슬픔을 참으며 간신히 이 편지를 쓰고 있어. 언제고 나를 찾아와 줘. 안녕, 그리운 제롬.

며칠 후, 알리사의 일기장이 나에게 왔다. 내가 알리사의 죽음으로 느낀 슬픔과 괴로움, 그리고 알리사의 일기장을 읽었을 때 느꼈던 마음은 이 글을 여기까지 읽은 사람이라면 누구나 잘 알 것이기 때문에 굳이 적을 필요가 없을 것이다.

네 삶은 정말 행복했니? 네가 말했던 것처럼?

9장
알리사의 일기

눈물 없이는 볼 수 없는 알리사의 일기장을 공개합니다!

에그비이브에서

1887년 5월 23일, 스물다섯 살 생일에, 나는 일기를 쓰기 시작한다. 일기를 써서 어떤 큰 즐거움을 얻으려는 것이 아니라 그냥 친구로 삼기 위해서다.

어제 쥘리에트의 신혼집이 있는 님에 도착했다. 나의 첫 여행! 처음으로 혼자된 느낌이었다.

이 곳에서 나는 이방인이지만, 여느 때와 크게 다르지는 않다. 왜냐하면 하나님은 언제 어디서나 변함없이, 그 모습 그대로 내 옆에 계시기 때문이다.

5월 24일

지금 쥘리에트는 내 옆의 긴 의자에 앉아서 졸고 있다. 그 앞으로는 정원이 펼쳐져 있고, 우리는 의자에 앉은 채 저 멀리 연못에 오리 떼와 백조가 헤엄치는 걸 볼 수 있었다. 연못은 아무리 더운 여름에도 마르지 않았다.

나는 아침마다 혼자 공원을 산책했다. 님에는 이름 모를 나무들이 많았다. 제롬이 여행에서 보았다는 푸른 떡갈나무도 그 중에 있었다. 그 떡갈나무들이 늘어선 끝에는 신비神祕로운 빈 터가 있었고, 폭신폭신 밟히는 잔디밭 위에는 요정들이 앉아 손짓하고 있었다. 공기는 수정같이 맑았고 주변에는 신비한 고요가 찾아왔다.

그 때, 갑자기 새소리가 들려왔다. 그 소리는 무척 맑고 아름다웠다. 마치 온 세상이 그 소리가 들리기만을 기다려 온 것 같았다.

갑자기 가슴이 몹시 뛰었다. 나는 잠시 아무 말도 하지

신비(神祕) : 불가사의한 비밀.

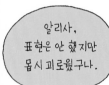

알리사,
표현은 안 했지만
몹시 피로웠구나.

않고 나무에 기대어 있다가 집으로 돌아왔다.

5월 26일

제롬에게서는 여전히 편지가 오지 않는다. 우리 집으로 편지를 보냈다면 이 곳으로 보내 줬을 텐데. 내 걱정과 불안을 오직 이 일기장에 털어놓을 뿐이다. 소풍도, 기도도 나의 마음을 풀어 줄 수 없었다. 이 곳에 도착한 이후로 계속해서 나를 괴롭히는 이 우울憂鬱이 너무도 깊었기 때문에 나는 이것이 아주 오래 전부터 내 마음 깊은 곳에 자리 잡고 있었다는 생각이 들었다.

5월 27일

나는 왜 내 자신을 속이려는 것일까?

머릿속으론 쥘리에트의 행복을 기뻐해야 한다고 생각한다. 쥘리에트가 지금 남편과 누리고 있는 행복, 내가 내

우울(憂鬱) : 마음이 어둡고 가슴이 답답한 상태.

알리사는 왜 스스로 자꾸 희생해야 한다고 생각하는 걸까?

사랑, 제롬을 버려 가며 주려고 했던 그 행복이 너무도 쉽게 이루어진 것을 보며 나는 괴로워하고 있다. 인간은 얼마나 복잡한가!

맞다. 내가 희생하지 않았어도 쥘리에트는 자신의 행복을 얻을 수 있었다. 그걸 보니 나는 나 자신에게 참을 수 없을 만큼 화가 났다.

그렇게 화가 난 내가, 나는 무서웠다.

그리고 제롬의 편지를 기다리며 '나는 내가 정말 제롬을 버리려고 했었는가?'를 다시 생각해 본다. 하나님이 내게 그런 희생을 원하지 않으셨다고 생각하니 나 자신이 바보같이 느껴진다. 나는 다른 사람의 행복을 위해 자신을 희생할 만한 그런 인간이 못 되는 것일까?

5월 28일

일기장에 우울한 마음을 적는 게 얼마나 위험한지 잘 안다. 모든 걸 이겨 냈다고 생각했을 때, 다시 나를 괴롭히게 될 것이다.

아니다! 이 일기장은 내 영혼을 꾸미거나 변명하는 그런 것이 아니다. 처음 일기를 쓰기 시작했을 때 생각했던 것처럼, 일기장은 내 슬픔을 달래 주는 친구이다. 슬픔은 '죄악'이다. 일기장은 내 마음 속에 예전의 그 행복을 다시 찾아오게 도와 줄 것이다.

집에서도 나는 혼자였다.

그래서 제롬이 여행을 하며 편지를 보냈을 때도 나는 그가 나 없이도 여행을 다니고, 나 없이도 살아갈 수 있다는 것을 당연하게 받아들였다. 마음 속으로나마 제롬 곁에서 함께 여행하는 것을 상상하며 기뻐했다.

그런데 지금 나는 제롬을 그리워하고 있다. 제롬이 옆에 없는 이 곳에서, 혼자인 것을 나는 괴로워하고 있다.

알리사, 솔직해져 봐. 너도 제롬과 결혼을 하고 아이를 낳고 이런 평범한 꿈을 꾼 적이 있지?

쉿, 안 돼. 그건 넓은 문이라고. 알리사는 아무도 가지 않는 좁은 문을 선택하잖아!

6월 10일

오랫동안 일기를 쓰지 못했다. 쥘리에트

가 귀여운 아기를 낳았다. 아기의 이름은 리즈다. 쥘리에트의 옆을 지키느라 며칠 동안 잠을 자지 못했다. 제롬에게 편지로 쓰고 싶은 말들이 많은데, 여기에는 적고 싶지 않다.

(책을 읽으며 적어 놓은 듯한 짧은 글들이 있고, 일기는 다시 외삼촌 댁으로 돌아와 시작하고 있었다.)

7월 16일

쥘리에트는 정말 행복하다. 그것은 의심할 여지_{餘地}없는 사실이다. 그런데 쥘리에트에게서 느껴지는 이 불만과 불안감은 무엇일까? 그것은 아마도 그녀의 행복이 너무도 쉽게 얻어진, 빈틈없는 것이어서 어딘지 쥘리에트의 영혼을 가두고 있는 감옥처럼 보이기 때문일까?

내가 바라는 행복은, 행복이라는 끝이 아니라 그 곳으

여지(餘地) : 무슨 일을 하거나 생각할 여유.

로 가기 위한 길에서 얻어지는 것이다. 아, 신이시여. 제가 너무 쉽게 다다를 수 있는 행복의 길을 멀리하고, 당신의 곁으로 갈 때까지 행복이 오지 않도록 도와 주세요.

(이 뒤로 많은 종이들이 찢겨져 있었다. 아마도 우리의 슬프고 어색했던 만남에 대한 것들이었을 것이다. 날짜가 적혀져 있지 않은 글들은 내가 외삼촌 댁에 머물러 있을 때 쓴 것으로 생각된다.)

제롬이 이야기하는 것을 듣고 있으면 때때로 마치 내가 이야기하고 있다는 생각이 든다. 제롬 없이 내가 존재할 수 있을까. 나는 항상 그와 함께 존재存在하는데.

가끔 내가 제롬을 생각하는 마음이 과연 남들이 말하는 사랑인지 고민해 본다. 남들이 보통 사랑이라

————————

존재(存在) : 실제로 있음.

부르는 것이 내가 생각하는 것과는 무척 다르다.

나는 사랑에 대하여 아무 말도 않고, 나 스스로조차 제롬을 사랑하고 있다는 것도 알지 못한 채 그를 사랑하고 싶다. 그리고 그 사랑을 받는 제롬이 그 사실을 모르게 사랑하고 싶다.

제롬 없이 살아야 한다면 그 어떤 것도 즐겁지 않을 것이다. 내 모든 덕은 오직 제롬을 위한 것이다. 그런데 제롬이 옆에 있으면 내가 쌓아 놓은 그 덕이 모두 무너져 버린다.

오늘 아침, 제롬과 나는 산책길 위의 의자에 앉아 있었다. 우리는 아무 말도 하지 않았고, 또 말을 해야 할 필요도 느끼지 못했다. 갑자기 제롬은 나에게 우리가 죽은 후에 또다른 삶이 있으리란 것을 믿느냐고 물었다.

"당연하지, 제롬."

나는 큰 소리로 외쳤다.

"나에게 그 곳은 꿈 이상의 믿음이야."

그 때 난 어쩐지 내 목소리가 텅 빈 것처럼 느껴졌다.

"내가 알고 싶은 건,"

제롬은 이 말을 하고는 얼마 동안 머뭇거렸다.

"만약 네게 믿음이 없다면, 넌 지금과 달라졌을까?"

"그거야 알 수 없지."

나는 이어서 말했다.

"하지만 강한 믿음이 생기면, 자기 뜻대로만 살 수 없어. 만약 네가 지금이랑 다르다면 난 너를 사랑할 수 없을 거야."

아버지가 또 몸이 좋지 않으시다. 괜찮으시기를 바라지만 우유밖에는 드시지 못해 걱정이다.

어젯밤 제롬이 먼저 자기 방으로 올라가고, 아버지마저 방을 나가시자, 난 긴 의자에 앉았다. 아니, 누웠다. 좀처럼 그런 적이 없는데, 이상한 일이었다.

잠시 후, 아버지가 들어오더니 미소 띤 얼굴로 날 바라보셨다. 어딘지 슬퍼 보였다.

"이리 와서 내 옆에 앉으렴."

알리사의 어머니, 그녀는 어떻게 살고 있을까?

아버지는 내게 손짓을 하셨다. 그러고는 어머니에 대해서 이야기하셨다. 어머니가 집을 나가신 후로 한 번도 어머니에 대해 말하지 않으셨는데. 아버지는 어떻게 어머니와 결혼하게 되었고, 얼마나 어머니를 사랑했는지, 얼마나 행복했었는지를 말해 주셨다.

"아버지, 왜 하필이면 오늘 밤에 어머니 이야기를 하시는 거예요?"

"글쎄, 거실에 들어와 네가 긴 의자에 누워 있는 것을 보니, 네 어머니를 보는 것 같아서."

제롬이 의자에 기대어 내 등 뒤에서 책을 읽었던 기억이 났다. 제롬을 볼 수 없었지만 숨소리를 들을 수 있었다. 열심히 책을 읽는 척했지만 사실 제롬에게 신경을 쓰느라 같은 문장을 여러 번 반복해서 읽었다. 결국 심장이 너무 쿵쿵 뛰어서 더 앉아 있지 못하고 살며시 자리를 피하고 말았다.

그런 일이 있고 얼마지나지 않아, 아버지가 내가 어머니처럼 보였다고 했을 때 난 정말로 긴 의자에 누워서 어린 시절에 봤던 어머니를 생각하고 있었다.

어머니에 대한 끔찍한 기억이 그 날 밤 내내 나를 괴롭혔다. 주님! 악마를 이기는 방법을 가르쳐 주세요.

돌이켜보면, 나는 그 때 이미 제롬을 위해서 '완벽한 덕'을 이루기로 마음먹었다. 내가 그 모든 것을 참고 이긴 것은 오직 제롬을 위해서였다. 그런데 '완벽한 덕'은 제롬 없이 이루어야 한다. 주님의 말씀 중에 그 가르침이 가장 지키기 어렵고 당황스러웠다.

오늘 아침, 책에서 다음과 같은 글을 읽었다.

"인생에는 금지되어 있지만, 제발 허락되었으면 하고 바라게 되는, 너무도 달콤한 유혹들이 있다. 그 유혹들은 그보다 더 달고 값진 주님의 힘으로, 덕의 힘으로밖에는 이겨 낼 수 없다."

제롬을 위해 쌓은 덕이 결국 제롬과 멀어지는 이유가 되었구나.

달콤했던 제롬과의 추억이 떠올랐다. 아, 사랑의 힘으로 우리 두 사람이 그 너머에 있는 주님의 곁으로 같이 갈 수만 있다면!

하지만 이제는 안다. 하나님과 제롬 사이에 내가 장

휴. 나란히 좁은 문으로 들어서는 건 불가능한 일일까?

애물이 되고 있다는 것을. 제롬의 말처럼, 처음에는 나에 대한 사랑이 그를 주님의 길로 인도했지만 이제는 그 사랑이 그 길을 가로막고 있다. 그는 주님보다 나를 더 사랑하느라, 머뭇거리고 있다. 나는 그가 '완벽한 덕'으로 나가는 길을 막고 있는 것이다. 우리 둘 중 한 사람이라도 거기에 도달^{到達}해야 한다.

주여! 이제 제롬이 나를 사랑하지 않게 해 주세요. 그렇게 해 주시면 제 모든 것을 주님께 바치겠습니다.

주님, 제롬의 영혼은 너무도 값집니다. 제롬은 저를 사랑하는 것보다 더 큰 일을 할 수 있습니다.

어느 성경 구절에는 다음과 같이 쓰여 있다.

"하나님이 우리를 위해 더 좋은 것을 준비해 두셨다."

5월 3일 월요일

행복이 바로 눈앞에…… 있다. 내가 손만 내밀면 가질

도달(到達) : 정한 곳에 다다름.

수 있도록. 오늘 아침, 제롬과 이야기하면서 난 희생을 결심할 수 있었다.

내일이면 제롬이 떠난다. 내 사랑, 제롬! 난 여전히 너를 사랑하고 있어! 하지만 이제 네게 사랑한다는 말은 하지 못할 거야.

주님! 제발 제롬과 제가 서로 의지하며 주님 앞으로 가게 해 주세요. 순례자들처럼 인생의 길을 같이 걷게 해 주세요. 아, 아니에요! 주님께 가는 길은 너무도 좁지요. 너무 좁아서 우리 둘이서 같이 걸을 수 없는 길이지요.

꾸꾸꾸.
종이를 찢는다고
사랑이 사라질까?

7월 4일

일기를 쓰지 않은 지 벌써 여섯 주가 되었다. 지난 달, 일기 중에 몇 장을 다시 읽어 보았다. 그리고 내가 잘 써 보려는 욕심으로 꾸며서 썼다는 걸 알았다. 아마 제롬 때문일 것이다.

제롬 없이도 혼자서 세상을 살아가려고 쓰기 시작한 일기가 어느 새 제롬에게 보내는 편지가 되어 있었다.

　그래서 잘 쓰려고 노력한 흔적이 보이는 곳들을 다 찢어 냈다. 사실 제롬과 관련된 곳은 모두 찢어 버려야 한다. 모두 다…… 하지만 할 수 없다.

　몇 장을 찢은 것만으로도 나는 자부심을 느꼈다. 대단한 일을 해낸 것 같다.

7월 6일

　책들을 모두 치웠다. 어느 책에나 제롬의 흔적^{痕迹}이 남아 있었다. 이 책이든 저 책이든 모두 제롬과 함께 읽었거나 제롬이 좋아했던 책들이다. 제롬과 아무 상관이 없는 책을 읽어도 그가 그 책을 읽는 목소리가 들리는 것 같다. 나는 항상 제롬과 같이 책을 읽고, 같이 생각했기 때문에 그 없이 책을 읽고 생각을 한다는 것이 힘들었다.

흔적(痕迹) : 어떤 사물이나 현상이 없어지거나 지나간 뒤에 남은 자취.

에휴, 알리사. 제롬과 너 사이에 보이던 주님의 얼굴이 너희 사랑을 응원하기 위해 나타났던 것일 수도 있잖아.

그래서 당분간 성경만을 읽기로 결심했다.

7월 20일

"네가 가진 모든 것을 가난한 자에게 나누어 줘라."

오로지 제롬을 위해서만 써 왔던 나의 마음을 가난한 사람들에게 나누어 주어야 한다. 또한 제롬에게도 이 이야기를 해 주어야 한다.

주여. 제가 제롬에게 말할 수 있게 도와 주세요.

8월 10일

주님, 저는 알아요. 모든 것이 제롬에게서 오는 것이 아니라 주님에게서 온다는 것을요. 하지만 항상 어디서나 주님과 저 사이에 제롬의 얼굴을 보여 주시는 것은 왜인가요?

8월 14일

이 모든 일들을 끝내는 데 앞으로 두 달.

그래,
알리사가 너무 바보 같아.
주님도 이런 모습은
원하지 않았을 거야.

주님 저를 도와 주세요. 제게 힘을 주세요!

8월 20일

나는 알고 있다. 나의 희생이 아직도 이루어지지 않았다는 것을.

아, 주님. 오로지 제롬에게서만 느꼈던 기쁨을, 이제는 오로지 주님에게서만 느끼게 해 주세요.

9월 16일 밤 10시

제롬을 다시 만났다. 그는 지금 나와 한 지붕 아래에 있다. 내가 일기를 쓰고 있는 지금, 제롬은 잠들지 못하고 있을 것이다. 어쩌면 날 생각하고 있을지도 모른다.

제롬은 조금도 변하지 않았다. 여전히 나를 사랑하고 있다. 나는 그의 마음을 느낄 수 있다. 하지만…….

제롬이 날 포기抛棄하게 하려면 어떻게 해야 할까?

포기(抛棄) : 하던 일을 중도에 그만두어 버림.

9월 17일

아, 주님. 주님을 사랑하기 위해서는 제게 제롬이 필요하다는 걸 알고 계십니다.

9월 20일

주님! 제발 저에게 제롬을 주세요. 그러면 제 모든 마음을 다해 당신께 바치겠어요.

주님, 한 번만 더 제롬을 만나게 해 주세요.

주님, 저의 모든 것을 당신께 드릴 것을 약속드립니다. 그러니 제발 제 소원을 들어주세요. 제발 용서해 주세요.

주님! 제발 저를 버리지 마세요.

9월 24일

아! 마음이 찢어지는 데도 끝까지 차가운 모습을 보이며 끝내야 했던 제롬과의 대화. 내가 이겨 낸 것일까? 이제 제롬이 날 덜 사랑하게 되었을까?

불쌍하게도 나는 그가 나를 사랑하지 않기를 바라면서

도 정작 그렇게 될 때를 두려워하고 있다. 내가 지금보다 더 제롬을 사랑했던 때는 없었다.

하지만, 주님. 제롬을 저의 사랑에서 자유롭게 하기 위해 제가 없어져야 한다면, 주님. 그렇게 하세요.

(알리사의 첫 번째 일기장은 이렇게 끝나고, 뒤에 있던 일기는 찢어 버린 모양이다. 그리고 여기 알리사의 두 번째 일기장은, 그로부터 3년 후, 그러니까 우리가 외삼촌의 집에서 마지막 만남을 가지기 조금 전부터 다시 시작된다.)

이렇게까지 절실한 알리사의 마음을 아무도 몰랐을 거야.

9월 27일

오늘 아침부터는 마음에 평화가 찾아왔다. 어제 저녁 나는 밤새도록 기도를 했다. 그러자, 어린 시절에 느꼈던 그 빛나고 고요한 것들이 다시 나를 찾아온 것 같았다. 오늘 아침에도 그 느낌은 사라지지 않았다. 곧 제롬이 올 것이라는 믿음이 든다.

알리사, 그게 얼마나 잔인한 일인 줄은 알아?

10월 1일

아직 제롬은 오지 않았다. 나는 제롬을 기다린다. 곧 제롬이 찾아와 이 의자에 나란히 앉게 될 것이다. 이미 내 귓가에는 제롬의 목소리가 들리는 것 같다.

어제도 나는 제롬이 보냈던 편지들을 다시 읽어 보려고 가지고 나왔지만 읽지 못했다. 제롬에 대한 생각에 너무 빠져 버렸기 때문이다.

오늘은 제롬이 좋아하던 십자가 목걸이를 가지고 나왔다. 이 십자가 목걸이를 제롬에게 주고 싶다. 제롬이 나중에 결혼을 하고 첫딸을 낳으면, 난 작은 알리사의 대모代母가 되고 이 십자가 목걸이를 그 애에게 줄 것이다.

10월 3일

모든 것이 끝났다. 제롬이 가 버렸다. 그가 여기 있었는

대모(代母) : 가톨릭에서, 성세 성사나 견진 성사를 받는 여자의 신앙 생활을 돕는 여자 후견인을 이르는 말.

데……. 여기! 나는 여전히 그를 느낄 수 있다. 나는 제롬을 불러 본다. 내 손과 입술이 어둠 속에서 그를 계속해서 찾고 있다.

나는 기도도 할 수 없었고 잠도 들 수 없었다. 어두운 정원으로 나가 봤다. 나는 무섭다. 그를 남겨 두고 왔던, 그 곳으로 가 보았다. 혹시라도 제롬이 다시 돌아와 있지 않을까! 그의 이름을 불러 보았다. 제롬을 잃는다는 것을 나는 도저히 받아들일 수가 없다.

내가 도대체 무슨 짓을 한 걸까? 제롬에게 무슨 말을 한 것이지? 내 마음을 괴롭히는 그 덕이란 것이 그토록 소중한 것인가? 아, 제롬! 제롬!

그에게 편지를 쓰고, 찢고 다시 쓰고. 새벽이 왔다.

내 편지는 제롬에게 가지 않을 것이다.

10월 5일

저에게서 모든 것을 빼앗아 가신 주님. 이제 저의 마음까지 거두어 가 주세요. 제가 끝까지 이겨 낼 수 있

도록 도와 주세요. 저의 마음을 아프게 하는 추억이 깃든 이 집, 이 정원을 떠나 오직 주님만을 뵐 수 있는 곳으로 달아나고 싶습니다.

10월 10일

이틀 동안은 누워 있기만 해야 했다. 의사는 내가 수술手術을 해야 한다고 했다. 나는 몸이 회복될 시간을 좀 달라고 말했다.

이름도 주소도, 나에 대한 모든 것을 숨긴 채 마지막 순간까지 쉴 수 있을 만큼 충분한 돈을 맡겨 두었다. 방도 마음에 든다. 화려하지 않고 깨끗하다. 난 성경 이외에 다른 책은 하나도 가지고 오지 않았다.

10월 15일

"기쁨, 기쁨, 기쁨, 기쁨의 눈물." 〔파스칼이 죽은 후 그의

수술(手術) : 몸의 일부를 도려 내거나 하여 병을 낫게 하는 외과적인 치료 방법.

옷 안에서 발견된 기도문]

인간이 누릴 수 있는 모든 기쁨을 넘어선 그 어떤 찬란한 기쁨. 나는 그것을 위해 모든 것을 참고 노력해 왔다. 그 행복에 도달하지 못한다면 내 삶은 아무 의미도 없다.

아, 주님 당신은 약속하셨어요.

'주님 안에서 죽는 자는 복 받을지어다.'

성경에서 말씀하셨습니다. 죽음에 이를 때까지 저는 기다려야 하나요? 저의 믿음이 흔들리려고 해요.

주님! 저는 애타게 당신을 부릅니다. 행복을 기다리며 애타고 있습니다. 아니, 저는 이미 그 행복을 가졌다고 생각해야 하는 건가요?

10월 16일

제롬! 완벽한 기쁨이 무엇인지 너에게 알려 주고 싶어.

오늘 아침에 구역질이 나서 잠에서 깼어. 그러자 내가 너무도 약하게 느껴져서, 이대로 죽는 것이 아닌가 싶더라. 처음에는 내 몸 곳곳에 평화가 깃드는 것 같더니, 곧 다시 참을 수 없는 고통이 몰려왔어.

무서워 제롬. 차라리 당장 죽었으면 좋겠어. 내가 정말
혼자라는 걸 다시 느끼기 전에 말이야.

알리사는 너무나도
아프게 좁은 문으로
들어갔던 거야.

10장
오랜 시간이 흐른 뒤에도

작년에 나는 쥘리에트를 다시 만날 수 있었다. 그녀가 알리사의 죽음을 알려 줬던 마지막 편지를 받은 지 십 년도 넘게 시간이 갔다. 나는 프랑스 남부 지역을 여행하던 중에 쥘리에트의 집이 있는 님에 들를 수 있게 되었다.

내가 거실에 들어서고, 잠시 후 쥘리에트가 왔다. 그녀는 이제 정말 블랑티에 이모와 꼭 같았다. 걸음걸이나, 몸매, 말투, 그리고 수선스러운 친절까지도 모두. 그녀는 계속해서 나에게 질문을 해 댔다. 그러고는 자신의 이야기들을 또 길게 늘어놓기 시작했다.

"우리 막내딸을 보러 가."

쥘리에트는 작년에 또 딸을 하나 낳았는데, 아이들 중에서 그 애를 제일 좋아하는 것 같았다. 그녀는 요람을 흔들며 물었다.

"저, 제롬. 이 아이의 대부(代父)가 되어 주지 않겠어?"

"좋지. 그런데 아이 이름이 뭐니?"

"알리사."

쥘리에트는 작은 목소리로 대답했다.

"이 애는 언니를 닮았어. 그렇지?"

나는 아무 말도 하지 못한 채 쥘리에트의 손을 꼭 잡았다. 쥘리에트가 작은 알리사를 안아서 들어올리자, 아이가 눈을 떴다. 나는 알리사를 받아 안았다.

"제롬도 훌륭한 아버지가 될 수 있을 텐데."라고 쥘리에트는 어색하게 웃으며 말했다.

쥘리에트도 제롬만큼 알리사를 그리워했을 거야. 자기 딸에게 알리사의 이름을 물려줬을 만큼.

대부(代父) : 가톨릭에서, 성세 성사나 견진 성사를 받는 남자의 신앙 생활을 돕는 남자 후견인.

"결혼 안 할 거야?"

"많은 추억들이 잊히면."

쥘리에트의 얼굴이 빨개졌다.

"빨리 잊고 싶어?"

"아니. 영원히 잊고 싶지 않아."

"이리 와 봐."

쥘리에트는 나를 작고 어두운 방으로 데려갔다.

"시간이 날 때면 내가 숨어 있는 곳이야. 우리 집에서 가장 조용한 방. 이 방에 있으면 모든 것에서 도망쳐 온 것 같은 느낌이 들어."

정말 방은 조용하고 평화로웠다.

"앉아."

안락의자에 앉으며 쥘리에트는 말을 이었다.

"내가 제롬을 잘못 알고 있는 게 아니라면, 제롬은 언제까지고 죽은 알리사와의 추억 속에서 살려는 거지?"

나는 잠시 아무 말도 하지 않다가 입을 열었다.

"추억보다는 알리사가 내게 가졌던 마음 안에서야. 내

가 무슨 대단한 일을 한다고 생각하지 않
아. 그렇게 할 수밖에 없어서 그러는 것뿐
이니까. 내가 만약 다른 여자하고 결혼한다
면, 나는 그녀를 사랑하는 척하는 것에 지나지
않을 거야."

사랑, 사랑, 누가 말했나.
사랑이 무엇이냐
물으신다면,
눈물의 씨앗이라고
말하겠어요.

"그래."

쥘리에트는 담담하게 말했다. 그러고는 내게
서 얼굴을 돌려 방바닥을 내려다보며 말했다.

"제롬은 이제 만나지도 이루어질 수도 없는 알
리사와의 사랑이 계속될 거라고 믿는 거야?"

"응."

"그럼, 인생이 계속된다고 해도 그 사랑이 절대 변하지
않을 거라고 믿어?"

벌써 저녁이 오는지 주변은 점점 어두워지고 있었다.
쥘리에트는 다시 내 얼굴을 바라보았다. 쥘리에트의 얼굴
을 알아보기에는 너무 어두워져서 그녀가 눈을 감고 있는
지 뜨고 있는지는 알 수 없었지만, 그녀는 무척 아름다워

나는, 알리사와 함께
좁은 문으로 간다.

보였다. 그리고 우리는 아무 말도 하지 않고 앉아 있었다.

"자."

쥘리에트가 입을 열었다.

"이제 잠에서 깨어나지 않으면 안 돼."

나는 쥘리에트가 일어서더니 한 걸음을 겨우 내딛고는
의자에 쓰러지는 것을 보았다. 쥘리에트는 손으로 얼굴을
가리고 울고 있는 것 같았다.

하녀가 등불을 가지고 들어왔다.

PART 3

PART 3 PART 3

PART 3 PART 3 PART 3

PART 3 PART 3 PART 3 PART 3

PART 3 PART 3 PART 3 PART 3 PART 3

PART 3 PART 3 PART 3 PART 3 PART 3 PART 3

PART 3 PART 3 PART 3 PART 3 PART 3

PART 3 PART 3 PART 3 PART 3

PART 3 PART 3 PART 3

PART 3 PART 3 PART 3

깊어지는 노을

앗싸! 감동의 〈좁은 문〉을 지나,
논술 세계로 가 봅시다~

PART 3

깊어지는 논술

좁은 문 (La Porte étroite)

프랑스의 작가 앙드레 지드가 1909년에 발표한 작품이에요. 사촌 동생 제롬을 사랑하면서도 자신의 마음을 억누르고 '좁은 문'을 선택한 알리사의 이야기를 담고 있는 소설이지요. 알리사는 앙드레 지드가 사랑한 사촌 누나 마들렌을 모델로 만든 인물이라고 해요. 그러나 금욕주의에 빠져 꽃다운 청춘을 흘려보냈던 앙드레 지드 자신의 모습을 투영시킨 인물이기도 하지요.

서글픈 알리사의 생애를 통해 젊음의 희생이 얼마나 허무한가를 비판했다는 평도 있어요. 또한 소설 전체에 흐르는 서정적인 심리 묘사는 이 작품을 세계적인 고전으로 만들어 주었어요.

신과 인간의 사랑 사이에서 고뇌하는 모습을 그려 낸 〈좁은 문〉은 오늘날까지도 사람들의 사랑을 받는 뛰어난 문학 작품 중의 하나랍니다.

〈좁은 문〉은 제롬과 알리사의 사랑만큼
기독교인인 의미 또한 강한 작품입니다.

앙드레 지드 (André Gide, 1869~1951)

앙드레 지드는 프랑스 파리에서 태어났어요. 아버지는 대학에
서 법을 가르치는 교수였고 어머니는 독실한 가톨릭 신자였다고
해요. 그래서 지드는 어려서부터 엄격한 가정교육을 받으며 자랐
지요. 〈좁은 문〉의 주인공 제롬과 지드는 무척 닮았어요. 지드도
제롬처럼 사촌 누나를 사랑해서 결혼을 했고, 제롬처럼 어려서부
터 종교와 사랑 사이에서 고민했으니까요.

앙드레 지드의 다른 유명한 작품 중에
는 〈배덕자〉가 있어요. 〈좁은 문〉에서
금욕적인 삶을 살다가 죽음을 맞이한
알리사와는 반대로 쾌락적인 삶을 추
구하다가 파멸하는 〈배덕자〉의 미셸
을 대조하며 읽어 보세요.

▼ 〈배덕자〉는 앙드레 지드가 쓴
또 하나의 위대한 작품입니다.

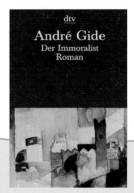

〈배덕자〉와
함께 읽어 보라고.

알리사는 왜 좁은 문을 택했을까요?

　모두들 〈좁은 문〉을 재미있게 읽었나요? 〈좁은 문〉은 알리사와 제롬의 사랑에 대한 이야기예요. 여러분은 '사랑'에 대해 생각해 본 적이 있나요? 아직 어리다고는 하지만 달콤한 사랑에 대한 꿈을 꿔 본 적은 있을 거예요.

　많은 사람들이 생각하는 사랑은 좋아하는 사람에게 잘 해 주고 싶은 마음, 그 사람이 나를 좋아해 주지 않으면 화도 내고, 다른 사람에게 질투도 하는 마음일 거예요.

　〈좁은 문〉에 나오는 쥘리에트의 사랑처럼 말이에요. 제롬을 좋아하는 쥘리에트는 자기의 마음을 알아 주지 않는 제롬을 보며 속상해하기도 하고, 알리사에게 질투를 느끼기도 해요. 자기의 사랑이 이루어지지 않자 끝내는 좋아하지도 않는 남자와 결혼을 하지요.

흐흑, 너무나 슬픈
사랑 이야기야!

　하지만 알리사의 사랑은 조금 달라요. 제롬을 무척 사
랑하지만, 제롬의 약혼을 받아들이지 않아요. 쥘리에트의
행복을 위해 자기를 희생하려고 하지요. 쥘리에트가 다른
남자와 결혼한 뒤에도 제롬과 거리를 두려고 한답니다. 제
롬과 함께 있으면 행복하다는 것을 잘 알고 있으면서도 제
롬에게 만나지 말자고 했어요. 둘은 너무도 사랑했는데, 왜 그래
야 했을까요?

　'하지만 이제는 안다. 하나님과 제롬 사이에 내가 장애물이 되고
있다는 것을.'

　알리사의 일기장에는 이런 말이 적혀 있었어요.
　제롬이 하나님에게 가는 길에 알리사 자신이 방해가 된다고 생
각했기 때문이에요.

제롬이 하나님보다 알리사를 더 사랑했거든요. 알리사 역시 제롬을 사랑하기 때문에 하나님과 멀어질 수밖에 없었어요. 알리사는 하나님과 제롬 사이에서 갈등하다가 결국 하나님을 선택하고 제롬을 버리고 말아요.

알리사는 그렇게 좁은 문을 향해 쓸쓸하게 걸어갔지요. 오로지 좋은 일만 하기로 약속하고 인간의 욕망을 참았답니다. 그 길은 무척 힘들었지만 알리사는 옳은 일만을 생각하며 견뎌 냈어요. 좁은 문 뒤에는 행복이 있을 거라는 믿음이 있었으니까요.

알리사의 고민은 하나님과 제롬 중에 하나를 선택하는 일이었지만, 이 선택에는 다른 의미도 함께 들어 있어요.

'하고 싶은 것'과 '해야만 하는 것' 사이의 선택일 수도 있고, '이성'과 '감성' 사이의 선택일 수도 있지요. '욕망'과 '절제' 사이의 선택으로 볼 수도 있답니다.

결국 알리사는 좁은 문으로 들어가기 위해 제롬과의 사랑을 버렸어요. 그러고는 홀로 쓸쓸히 죽음을 맞이하고 말았어요. 알리사가 선택한 좁은 문은 고귀한 삶을 살기 위해 지금의 행복을 버리는 삶이었지요.

여러분, 알리사는 정말 행복했을까요?
알리사의 마지막은 외로웠어요. 그리고 제롬은 혼자 남아 평생 알리사를 그리워했지요. 이들의 삶은 행복하다고 말할 수도 있고, 그렇지 않다고도 말할 수 있어요. 보는 사람에 따라 충분히 다양하게 생각할 수 있을 테니까요.

알리사 보다 제롬이 더 불행한 삶을 살지 않았을까?

여러분의 생각은 어떤가요? 여러분이 만약 알리사라면 어떻게 했을까요?

알리사의 인생처럼 심각한 선택은 아니지만 우리도 늘 선택의 기로에서 알리사처럼 고민하지요. '하고 싶은 것'과 '해야만 하는 것'의 선택, '이성'과 '감성' 사이의 고민, 그리고 '욕망'과 '절제' 사이의 갈등이 언제나 우리를 괴롭히곤 해요.

이 세상에는 해서는 안 되는 일이 참 많아요. 군것질하지 마라, 말썽 부리지 마라, 늦잠 자지 마라, 떠들지 마라……. 하지만 하면 안 되는 일일수록 더욱 하고 싶은 게 사람 마음이에요.

여러분은 이런 선택의 기로에서 어떤 길을 택하겠어요?

하고 싶은 것을 다 하고 살 수는 없어요. 만약 모든 사람들이 원하는 일만 한다면 인간으로서의 존엄성은 바닥에 떨어지겠지요. 강아지나 고양이와 같은 동물들의 삶과 크게 다를 바가 없을 테니까요.

그렇다고 무조건 참고 견디는 것만이 행복하고 옳은 삶일까요? 매일 공부만 하고, 도덕 시간에 배운 대로 옳은 일만 하며 아무런 말썽도 부리지 않는 여러분을 상상할 수 있겠어요?

지나치면 안 되겠지만 가끔은 장난도 치고 하루 종일 놀기도 하는 삶이 더 재미있을 것 같기도 해요.

사랑하고, 질투하고, 그리워하며 젊은 날의 감정을 마음껏 표현한 쥘리에트의 사랑, 좁은 문 이후의 더 행복한 삶을 위해 모든 감정을 억제한 알리사의 사랑.

선택의 열쇠는 여러분에게 있어요. 행복은 주관적인 것이고, 인생은 다른 사람이 대신 살아 주는 게 아니니까요.

자, 여기에 넓은 문과 좁은 문이 있습니다. 여러분은 무엇을 선택하시겠어요?

PART 4

자, 눈 뜨고, 귀 열고~
집중 하세요.

PART 4

논술 워크북

1-1 알리사는 제롬을 사랑한다고 말합니다. 그리고 함께 있으면 정말 행복하다고 말합니다. 그런데도 제롬과 결혼하는 것을 피합니다. 그 이유는, 알리사가 사랑하는 사람과 함께하는 것보다 더 소중한 것이 있다고 생각하기 때문이지요. 알리사는 어떻게 사는 것이 가장 가치 있다고 생각하나요?

1-2 제롬은 알리사를 무척 사랑합니다. 그래서 알리사가 싫어하는 일은 하지 않으려고 합니다. 그렇지만 행복에 대해 자신과 다른 생각을 가진 알리사 때문에 마음이 아픕니다. 제롬이 생각하는 행복한 삶은 어떤 것인가요?

HINT

알리사는 '좁은 문으로 들어가기를 힘쓰라.' 는 성서의 가르침을 삶에서 가장 중요한 것으로 생각합니다. 이것이 설마 모든 문을 작게 만들어 놓고 그리로 들어가라는 뜻은 아니겠지요? 2장과 7장에서 알리사와 제롬이 주고받는 말을 잘 읽어 보세요. 두 사람이 각각 어떻게 살기를 원하는지 알 수 있답니다.

2 알리사의 동생 쥘리에트는 언니 알리사가 제롬과 결혼하지 않는 이유가 자신 때문이라고 생각합니다. 자신이 제롬을 사랑한다는 것을 언니가 알고 있기 때문이지요. 그래서 쥘리에트는 사랑하지도 않는 남자와 결혼을 합니다. 다른 사람을 위해 자신이 원하지도 않는 선택을 한 쥘리에트의 행동을 어떻게 생각하나요?

HINT

쥘리에트가 왜 그런 결정을 했는지 생각해 보세요. 쥘리에트의 행동이 자신과 다른 사람(알리사나 제롬, 쥘리에트의 남편)에게 어떤 영향을 미칠지도 생각해 보세요. 비판적으로 생각한다는 것은 어떤 사건이나 행동을 나쁘다고만 보는 것이 아닙니다. 비판적 사고는 무엇이 왜 옳고 왜 그른지에 대해 이렇게도 생각해 보고 저렇게도 생각해 보는 것입니다.

207

3 제롬과 알리사는 두 사람의 문제를 누구에게도 상의하지 않습니다. 둘이서만 끙끙대다가 결국 알리사가 죽으면서 문제는 끝이 납니다. 두 사람이 문제를 해결할 수 있는 다른 방법은 없었던 것인지 생각해 보세요.

HINT

어떤 문제가 생겼을 때 그것을 해결하는 방법은 다양합니다. 어른들께 도움을 청할 수도 있겠지요? 제롬과 알리사 주변에 이들을 도와 줄 수 있다고 생각되는 인물을 찾아 보세요. 그리고 다른 해결책은 더 없는지 생각해 보세요.

4 알리사는 자신이 생각하기에 중요하고 가치 있는 것을 이루기 위해서 사랑하는 제롬의 청혼을 끝까지 거절합니다. 그래서 제롬은 큰 슬픔에 빠지게 됩니다. 이런 알리사의 행동을 이기적이라고 해야 할지, 아니면 자신의 욕구를 끝까지 참는 인내심이 대단하다고 해야 할지 자신의 주장을 정하고 적절한 이유를 한 가지씩 들어 보세요.

HINT

어떤 주장을 선택하든지 상관 없습니다. 중요한 것은 그 근거를 마련하는 일입니다.

5 사람은 누구나 하고 싶은 것이 있지만 여러 가지 이유 때문에 그것을 다 할 수는 없지요. 이럴 때 하고 싶은 마음과 하면 안 된다는 마음 사이에서 고민이 생기고 그것 때문에 매우 힘이 듭니다. 여러분도 이런 경험이 있지요? 다음 상황에서 여러분은 어떻게 행동할 것인지 생각해 보세요.

정은이는 평소 친하게 지내는 영민이와 조별 숙제를 하게 되었습니다. 영민이는 친구들이나 선생님께 모범생으로 알려져 있는 성실하고 정직한 친구입니다. 과제는 자신들이 방학 동안에 쓴 시에 배경 음악을 넣어 낭송하는 것이었습니다. 평소 음악을 좋아하는 정은이는 음악을 고르기로 했고 시를 잘 쓰는 영민이는 시 한 편을 쓰기로 했습니다. 정은이네 시 낭송이 제일 높은 점수를 얻어 상까지 받게 되었습니다.

그 뒤 정은이는 우연히 인터넷 검색을 하다가 자신이 낭송했던 시와 너무나 비슷한 시 한 편을 발견하고 깜짝 놀랐습니다. 영민이에게 어떻게 된 일이냐고 묻자 영민이는 솔직하게 대답해 주었습니다. 시를 쓸 수 없을 만큼 아팠던 영민이는 시를 못 쓰게 되면 정은이에게 피해를 주게 된다는 생각에 마음이 급했답니다. 그래서 잘못인 줄 알지만 평소 즐겨 찾던 인터넷 사이트에서 시 한 편을 거

의 베끼다시피했다며 울먹였습니다. 상까지 받았는데 이
제 와서 사실을 밝히면 자기가 얼마나 창피하겠느냐며 다
시는 그러지 않을 테니 이번 한 번만 아무에게도 말하지
말아 달라고 했습니다. 정은이는 고민에 빠졌습니다. 남의
시를 베껴서 상까지 탔다는 게 양심에 걸려 잠도 오지 않
았습니다. 아무리 해도 말을 해야 할 것 같았습니다. 그러
나 사실을 말하면 영민이가 어떤 벌을 받게 될지 걱정이
되어 선뜻 결정을 할 수가 없었습니다.

〈보기〉의 주장에서 하나를 선택하거나 새로운 주장을 만들
어 보세요. 그리고 주장에 대한 근거를 들어 반대 의견을
가진 친구(정은이를 지지한다면 영민이를, 영민이를 지지한다
면 정은이)를 설득하는 글을 써 보세요.

〈보기〉

주장 1 담임 선생님께 사실을 말해야 한다.

주장 2 아무에게도 말하지 않는 게 좋다.

주장 3 _____

● **나의 주장**

● **주장에 대한 이유**

6 다 쓴 글을 친구나 부모님 앞에서 발표해 보세요. 그리고 자신이 쓴 글에 고개를 끄덕이는지 아니면 고개를 갸우뚱하는지 듣는 사람의 반응도 살펴보세요. 발표가 끝난 후 평가도 부탁해 보세요.

가이드북
GUIDE BOOK

파다파닥 살아 있는
논술 해설을 읽어 보자고!

〈좁은 문〉에 대하여

〈좁은 문〉은 앙드레 지드가 기독교적인 사상을 바탕으로 쓴 소설입니다. 이 작품에서 주인공 알리사는 현세의 사랑을 포기하고 신앙을 선택합니다. 그러나 알리사는 죽음에 임박해서 자신이 선택한 신앙의 길이 고난의 길일뿐만 아니라 허위와 위선의 길이었음을 깨닫게 됩니다. 그리고 제롬을 그리워하면서 고독하게 죽어 갑니다.

이런 주인공의 삶을 통해 지드는 자연스럽지 않은 헌신은 인간을 죽음에 이르게 한다는 것과 현세의 사랑 없이는 신에게도 이르지 못한다는 것을 말해 주고 있습니다.

작품의 전체 줄거리

제롬과 알리사는 서로를 사랑합니다. 그러나 알리사는 지상의 행복이 아니라 천상의 행복을 추구하기 때문에 감정을 억제하고 제롬 또한 그녀에게 가까이 가지 못하고 주저하며 괴로워합니다.

그러나 시간이 흐를수록 알리사는 제롬에 대한 마음이 더욱 간절해집니다. 이에 두려움을 느낀 알리사는 애써 제롬을 피하다가 결국 요양원으로 도망칩니다. 그리고 그 곳에서 고독하게 죽어 갑니다. 알리사가 죽은 후 제롬은 그녀가 쓴 일기를 통해 알리사가 자신을 진정으로 사랑했다는 것을 알게 됩니다.

알리사가 죽고 10년이 흐른 뒤 제롬은 알리사의 동생 쥘리에트를 찾아갑니다. 알리사를 잃은 슬픔에서 헤어나지 못한 제롬에게 쥘리에트는 이제 그만 알리사와의 희망 없는 사랑에서 깨어나라고 합니다.

〈좁은 문〉의 의미

사람들은 살아가면서 흔히 이성적인 판단에 따라 '해야 하는 것'과 본능적인 욕구에 따라 '하고 싶은 것' 중 하나를 선택해야 하는 상황에 처하곤 합니다. 친구 생일 잔치에 가고 싶은데 어머니 일을 도와 드려야 한다거나, 컴퓨터 게임을 무척 하고 싶은데 어머니와 한 약속 때문에 참아야 할 때 등이 그 예입니다.

이런 상황에서 욕구만을 좇는 것도, 또 이성만을 따르는 것도 우리 삶을 불행하게 할 우려가 있습니다. 욕구만을 좇는 인간은 잘못된 판단을 할 우려가 있는 반면, 이성적인 판단에만 따를 때는 욕구가 채워지지 않아 삶이 불만족스러울 수 있기 때문입니다. 그렇다면 이런 상황에서 최선의 선택은 무엇일까요?

〈좁은 문〉을 읽으면서 이 점을 고민해 보세요. 아마도 이성과 감정이 조화를 이룰 때 우리의 삶이 더욱 풍요로워진다는 것을 깨닫게 될 것입니다.

논술 1단계 해설 | 꼭 알고 넘어가요

 1-1 **사고 영역 _ 사실적 이해**

본문의 내용을 얼마나 잘 이해했는지 알아보는 문제입니다. 알리사가 제롬에게 했던 다음의 말을 꼼꼼히 읽고 정리해서 말하면 됩니다.

알리사는 좁은 문으로 들어가기를 힘쓰라는 성서 말씀을 지키려고 애씁니다. 알리사는 사랑하며 느끼는 행복은 영원할 수 없으며 오직 하나님의 사랑만이 영원하다고 생각하고 있음을 아래의 글에서 알 수 있습니다.

> "왜 하느님 외에 다른 사람을 찾니? 우리가 서로에게 가장 가까이 다가갈 수 있을 때는 서로를 잊고 하나님께 기도드리고 있을 때뿐이라고 생각하지 않니?"
>
> – 제2장

> "난 정말 큰 행복을 느끼고 있어. 그런데 난 우리가 행복을 위해서 태어났다고 생각하지 않아."
> "우리는 좀더 성스러운 것을 위해서 태어났어."
> "성스러운 길을 가는 것은 선택이 아니라 우리의 의무야."
>
> – 제7장

 CHECKPOINT

알리사도 제롬을 사랑하지만 현세의 사랑은 불완전한 것이라고 보기 때문에 제롬의 청혼을 거절합니다.

사고 영역 _ 사실적 이해

역시 사실적 이해를 묻는 문제입니다. 제롬의 대사를 잘 살펴보고 여러분의 생각을 정리해 보세요.

제롬은 알리사의 말에 이렇게 답합니다.

"내가 나중에 어떤 사람이 되든 그건 다 널(알리사) 위해서야."

"난 날마다 우리를 결합하게 해 달라고 기도드려."

"천국이라도, 거기서 널 다시 보지 못한다면 난 가지 않을 거야."

— 제2장

"너에 대한 사랑만이 내게는 가장 값진 것이야."

— 제7장

이로 보아 제롬에게는 하나님의 사랑도 알리사가 없다면 의미가 없다고 생각하고 있음을 알 수 있습니다.

 CHECKPOINT

이 문제는 작품 전반에 흐르는 갈등의 핵심을 파악해야 풀 수 있습니다. 따라서 이 문제를 제대로 풀어야만 전체 내용을 잘 이해할 수 있습니다.

---
2 **사고 영역 _ 비판적 사고** ──────

등장인물의 행동을 비판해 보는 문제입니다. 쥘리에트가 한 행동에 어떤
문제가 있는지 다양한 측면에서 생각해 보기 바랍니다.

알리사가 나에게 뛰어왔다.

"아, 제롬. 말도 안 돼. 쥘리에트는 저 사람을 전혀 사랑하지 않아.
오늘 아침에도 그렇게 말했는걸. 제발, 저 애를 말려 줘. 제롬. 아, 제
발! 쥘리에트가 도대체 무슨 생각으로 저런 짓을 하는 거지?"

알리사는 울면서 내 어깨에 얼굴을 묻었다. 나는 정말 가슴이 찢어
질 것처럼 아팠다. 그 때 갑자기 비명이 들렸다. 쥘리에트가 쓰러진
것이다.

― 제4장

쥘리에트의 행동은 문제의 원인을 꼼꼼하게 따져 보지 않은 점이 잘못
입니다. 알리사가 제롬과 결혼하지 않는 이유가 자신 때문이라는 판단은
성급한 것이었습니다. 쥘리에트가 결혼한 이후에도 알리사는 제롬과 결
혼하지 않은 걸 보면 알 수 있습니다.

그리고 쥘리에트는 그런 행동이 어떤 결과를 가져올지도 생각했어야
합니다. 그렇게 결혼했을 때 쥘리에트의 남편도 불행할 수 있습니다. 자
신을 사랑하지도 않는 사람과 평생을 살아야 하니까요. 그것도 쥘리에트
가 왜 자신과 결혼했는지도 모른 채 말입니다. 그리고 알리사 또한 마음

이 편하지 않을 것입니다. 동생이 자신 때문에 사랑하지도 않는 사람과 결혼했다는 죄책감이 들 수 있겠지요. 제롬 또한 마찬가지이겠고요. 그리고 무엇보다도 자신이 불행하겠지요.

물론 자신은 제롬을 사랑하지만 제롬은 언니인 알리사를 사랑하고 있으니 문제가 해결되기는 어렵다고 생각했겠지요. 그렇지만, 그렇다고 해서 문제를 피해 버리는 것은 또다른 문제를 낳을 수 있기에 바람직하지 않습니다. 원인이나 결과에 대해 좀더 꼼꼼하게 따져 보는 자세가 필요합니다.

CHECKPOINT

문제의 원인을 다양한 측면에서 살펴보는 것이 중요합니다. 한 가지 문제를 한쪽 면에서만 바라보았을 때는 그것의 전체적인 모습이 드러나지 않습니다.

3 사고 영역 _ 창의적 사고

창의적인 사고력을 기르기 위한 문제입니다. 창의적인 사고를, 이 세상에 없는 기발한 것을 만들어 내는 것만으로 이해해서는 곤란합니다.

창의적 사고란, 단순히 지금까지 학습자가 습득한 지식을 그대로 불러 오는 수준 낮은 사고가 아니라, 그러한 지식을 바탕으로 학습자가 스스로 지금까지 생각하지 못했던 것을 생각해 내는 사고라고 정의하는 것이 바람직합니다.

이 문제를 통해 제롬과 알리사의 갈등을 해결할 수 있는 방법을 창의적으로 생각해 보는 것이 중요합니다. 우선 어른들과 상의하는 방법이 있겠지요. 이 작품에서 보면 알리사와 제롬은 두 사람의 결혼이라는 중대한 문제를 놓고 한 번도 어른들과 상의하려고 하지 않습니다. 블랑티에 이모나 외삼촌 또는 목사님께 상의했더라면 상황이 달라졌을 수도 있지 않을까 하고 생각해 볼 수 있습니다.

알리사는 아직 어리고 성서의 말씀을 곧이곧대로 믿고 있기 때문에 하나님을 사랑하는 것과 제롬을 사랑하는 것을 동시에 할 수 없다고 생각합니다. 생각하기에 따라서는 제롬과 결혼하여 더욱더 하나님의 가르침에 따라 서로를 사랑하며 살 수도 있습니다.

한편, 알리사의 어머니가 다른 사람을 좋아해서 집을 나가 버린 일이 알리사에게 이런 선택을 하게 했을 수도 있습니다. 사람의 마음은 언젠가 변할 수 있다는 것을 어린 시절 어머니를 통해 알게 되고 제롬과 자신도 지금은 사랑하지만 언제 이별하게 될지 모른다는 두려움을 가졌을 수도 있습니다. 이런 알리사의 두려움도 어른들과 대화를 통해 해결할 수 있지 않았을까요? 주변에는 결혼해서 행복하게 사는 부부들도 있었을 테니까요.

✓ CHECKPOINT

여기서는 학습자들이 어떤 문제에 부딪혔을 때 그 해결책을 다양하게 생각해 보는 것이 중요합니다. 위에서 제시한 방법이 아니어도 제롬과 알리사가 생각하지 못했던 방법을 제시한다면 그 생각을 존중해 주는 것이 좋습니다.

4 사고 영역 _ 논리적 사고

학습자가 어떤 갈등 상황에서 자신의 주장을 정하고 주장을 뒷받침할 수 있는 타당한 근거를 제시하는 문제입니다. 어떤 쪽의 주장을 선택해도 상관 없습니다.

여기서 중요한 것은 그 주장을 뒷받침하는 근거가 타당하고 적절한 것인가 하는 문제입니다.

'알리사의 행동이 이기적이다.' 라는 주장의 근거

알리사가 중요하게 생각하는 것은 하나님을 향해 나아가는 것이지만 제롬은 자신과 함께 행복하게 살기를 원한다. 그런데 이런 상황에서 알리사는 제롬의 이야기에는 귀 기울이지 않고 자신이 중요하다고 생각하는 것만을 제롬에게 강요한다. 물론 자신이 중요하다고 생각하는 가치를 버리라고 말할 수는 없지만 그래도 상대방의 의견에도 귀를 기울이는 자세가 필요하다.

'알리사는 자신의 욕구를 끝까지 참는 인내심이 대단한 인물이다.' 라는 주장의 근거

일기장을 보면 알리사도 무척 괴로워했음을 알 수 있다. 그런데도 그것을 참고 성서의 가르침대로 살려고 한 것은 칭찬해야 마땅하다. 자신이

중요하다고 생각하는 가치가 있어도 감정이 그것과 어긋날 때는 감정이
시키는 대로 따르는 것이 더 쉬운데, 알리사는 자신이 죽어 가면서까지
그 가치를 지키려고 애썼다는 점에서 훌륭하다.

 CHECKPOINT

내 주장에 대한 근거를 반대 의견을 가진 사람이 보았을 때 반박의 여지가 없는가 생
각해 보아야 합니다.

5 | 사고 영역 _ 논리적 사고

자신의 주장을 선택하고 이에 합당한 근거를 마련하여 논술하는 문제입니다. 정답은 없습니다. 여러분이 선택한 주장을 얼마나 합리적이고 조리 있게 표현하느냐가 중요합니다.

주장 1은 '담임 선생님께 사실을 말해야 한다.'는 주장입니다. 근거는 다음과 같습니다.

'자신이 저지른 잘못에는 자신이 책임을 져야 한다. 물론 사실이 밝혀지면 영민이는 상처를 받을 것이다. 그러나 그것은 자신이 저지른 잘못에 대한 대가를 치르는 것이므로 감수해야 한다.'

'다른 사람이 피해를 입는다. 만약 사실이 좀더 일찍 밝혀졌다면 다른 사람이 정은이네 대신 상을 받을 수도 있었다.'

'양심을 속이는 일이다. 다른 사람이 모른다고 해도 본인들은 이 사실을 알고 있다. 양심의 가책 때문에 마음이 불편할 수 있다.'

'과정보다는 결과를 중요하게 생각하는 잘못된 가치관을 가질 수 있다. 이 때문에 앞으로도 부도덕한 행위를 반복할 수 있다.'

이러한 근거를 예로 들면서 영민이가 상처를 입기는 하겠지만 자신이 저지른 잘못에 대해서는 마땅히 책임을 져야 한다고 주장합니다. 그리고 그렇게 하는 것이 오히려 영민이를 위해서도 바람직하며, 만약 정은이가 이번 일을 눈감아 준다면 마음 속에 남아 있는 죄책감 때문에 다른 상황에서 남 앞에 떳떳하게 나설 수 없게 될 것이라고 덧붙입니다. 또한 어떻게 하면 진실을 밝히면서도 영민이가 상처를 덜 받는 방법에 대해서도 고민해 보아야 합니다.

주장 2는 '아무에게도 말하지 않는 게 좋다.' 는 주장입니다. 근거는 다음과 같습니다.

'영민이가 스스로 반성하고 있다. 누구나 잘못을 저지를 수 있다. 그런 상황에서 중요한 것은 그 잘못을 스스로 어떻게 생각하는가 하는 자세다. 그런데 영민이는 자신의 잘못을 반성하고 있고 다시는 그렇게 하지 않겠다는 생각을 하고 있다.'

'다른 사람에게 피해를 주지 않기 위해서 한 행동이다. 조별 숙제에서 자신이 맡은 과제를 해결하지 못하면 정은이까지 피해를 입게 된다. 그런 상황에서 한 행동이다.'

'평소에 한 번도 이런 행동을 한 적이 없다. 정은이가 영민이를 믿고 비밀을 지켜 준다면 영민이는 자신의 이미지를 지켜 나가기 위해 더욱 노력할 것이다.'

이런 근거를 바탕으로 잘못을 처벌하는 것만이 가장 좋은 해결책은 아니라고 주장합니다. 중요한 것은 그 사람이 어떻게 하면 다시는 그런 잘못을 저지르지 않게 도와 줄 것인가입니다. 물론 상황에 따라 행동이 정당화되는 것은 아니지만 평소 영민이의 행실로 보아 한 번 용서해 줌으로써 앞으로는 이런 잘못을 저지르지 않도록 해야 합니다.

새로운 주장은 주장 1과 주장 2를 적절히 조화를 이루도록 하는 제3의 주장입니다. 정은이가 말하지 않고 영민이 스스로가 말하도록 한다든지, 담임 선생님께 말하지 않고, 영민이를 가장 사랑하시고 잘 아시는 부모님께 영민이가 이 사실을 말씀드림으로써 스스로 자기 행동을 반성하도록 할 수 있을 것입니다.

CHECKPOINT

어떤 것을 중요하게 생각하는가에 따라 주장이 달라질 수 있습니다. 주장 1은 다른 사람과의 관계에 무게를 둔 주장입니다. 그래서 자신의 행동이 다른 사람에게 주는 피해와 그에 따른 책임 등을 근거로 들어 이야기하고 있습니다. 주장 2는 잘못을 저지른 사람이 어떻게 하면 다시는 그런 잘못을 저지르지 않게 할 것인지를 더 중요하게 생각하는 관점입니다. 반대 의견을 가진 사람이 내가 든 근거를 반박할 여지는 없는지 따져 보아야 합니다.

다음은 논술 5단계 문제에 대한 초등학교 6학년 친구의 글입니다. 지도에 참고하시기 바랍니다.

나의 주장 : 담임 선생님께 말해야 한다.

담임 선생님께 말씀드려야 한다. 왜냐하면 자신이 저지른 잘못에는 자신이 책임을 져야 하기 때문이다. 다른 사람들이 사실을 알게 되면 영민이는 상처를 받을 것이다. 모든 사람이 다 영민이는 모범생이라고 알고 있다. 그래서 더 창피할 수도 있다. 그러나 자기가 저지른 잘못 때문에 받는 벌이라고 생각하면 억울하지는 않을 것이다.

그리고 영민이에게도 도움이 된다. 사람은 한 번 잘못하면 자꾸 하게 될 수도 있다. 그런데 처음 잘못했을 때 창피함을 느끼면 다음부터는 조심하게 된다. 당장은 창피하겠지만 나중에는 더 좋을 수 있다.

〈돈 키호테〉에서 다시 만나자고!